© 2015 Valcapelli e Gasparetto
© iStock.com/Eraxion

Coordenadora editorial: Tânia Lins
Coordenação de comunicação: Marcio Lipari
Capa e Projeto gráfico: Kátia Cabello
Diagramação: Rafael Rojas
Preparação e revisão: Vera Rossi

1ª edição — 7ª impressão
5.000 exemplares — julho 2024
Tiragem total: 28.000 exemplares

CIP-BRASIL. CATALOGAÇÃO-NA-FONTE
SINDICATO NACIONAL DOS EDITORES DE LIVROS, RJ

G232m

    Gasparetto, Luiz Antonio
    Metafísica da saúde : volume 5 / Luiz Antonio Gasparetto,
Valcapelli. - 1. ed. São Paulo : Vida e Consciência, 2015.
    192 p. ; 21 cm.

    inclui bibliografia e índice
    índice remissivo
    ISBN 978-85-7722-441-8

    1. Metafísica I. Valcapelli. II. Título.

15-23598

CDD: 100
DCU: 1

Índices para catálogo sistemático:
1. Medicina psicossomática 616.08

Todos os direitos reservados. Nenhuma parte desta edição pode
ser utilizada ou reproduzida, por qualquer forma ou meio, seja
ele mecânico ou eletrônico, fotocópia, gravação etc., tampouco
apropriada ou estocada em sistema de banco de dados, sem a
expressa autorização da editora (Lei nº 5.988, de 14/12/1973).

Este livro adota as regras do novo acordo ortográfico (2009).

Vida & Consciência Editora e Distribuidora Ltda.
Rua das Oiticicas, 75 – Parque Jabaquara – São Paulo – SP – Brasil
CEP 04346-090
editora@vidaeconsciencia.com.br
www.vidaeconsciencia.com.br

METAFÍSICA DA SAÚDE

VOL.5
SISTEMAS ÓSSEO
E ARTICULAR

SUMÁRIO

Apresentação 9

Introdução 16

Capítulo 1 - Sistema Ósseo 20

Crânio 24

Fratura de crânio 26

Mandíbula 28

Articulação Temporomandibular (ATM) 30

Bruxismo 33

Septo nasal 37

Desvio do Septo Nasal 38

Clavícula 41

Escápulas 43

Costelas 45

Úmero 48

Antebraço (ossos: rádio e ulna) – fratura 50

Mãos 54

Características das mãos 56

Dedos 59

Dedo Polegar 62

Dedo Indicador 65

Dedo Médio 67

Dedo Anular 70

Dedo Mínimo 73

Ossos do quadril 76

Fêmur 79

Tíbia e fíbula 82

Pé 84

Calcanhar 86
Esporão de calcâneo 89
Planta ou sola do pé 91
Arco do pé 92
Pé chato 93
Pé em garra 95
Facite plantar 96
Peito do pé e o metatarso 99
Dedos do pé 101
Frieira 103
Joanete 104
Fratura óssea 107
Osteopenia 112
Osteoporose 113
Considerações Finais 116

Capítulo 2 - Sistema Articular 118

Ombro 125
Dores no ombro 127
Bursite 129
Lesão ou tendinite do manguito rotator 132
Cotovelo 135
Bater o cotovelo 138
Dor no cotovelo 139
Punho 141
Dor no punho 143
Síndrome do túnel do carpo 144
Articulações do quadril 147
Dor ou problemas no quadril 149
Joelho 151
Menisco 155
Patela 157
Tornozelo 159

Problemas no tornozelo 161

Reumatismo 163

Gota 168

Artrite 172

Artrite reumatoide 174

Artrose 176

Considerações Finais 179

Referências bibliográficas 181

Índice remissivo [volumes 1 ao 5] 182

APRESENTAÇÃO

Você quer saber como eu, Valcapelli, chego às causas metafísicas das doenças apresentadas nos cinco volumes desta obra?

Considero-me um pesquisador independente sobre os fenômenos existenciais; busco o verdadeiro significado da vida, principalmente no que diz respeito à saúde e à doença.

O melhor laboratório para realizar as minhas pesquisas é o mundo em que vivemos, ele é um gigantesco reduto de observações. As situações rotineiras são espécies de pontas de iceberg que manifestam os conteúdos profundos da alma.

Participo das atividades cotidianas e, em alguns momentos, procuro observar amplamente o fenômeno existencial. Dou uns passos fora da situação para ampliar a ótica dos fatos, de maneira imparcial e sem julgamento. Busco, por meio da reflexão, o significado das ocorrências que envolvem as pessoas à minha frente, pois acredito que a forma como elas procedem reflete os seus mais profundos padrões de comportamento.

Os conteúdos dessas observações serão fundamentais para descrever as condutas que as pessoas adotam quando possuem certas crenças.

A definição que tenho acerca das constituições internas e que fundamenta os estudos metafísicos da saúde é de que existem quatro níveis de manifestações da alma no corpo e na vida, que são: a alma, as crenças, as atitudes e os comportamentos.

A alma, também chamada de espírito, ao qual me refiro nesta obra como Ser, é a fonte da vida e a causa do fenômeno da existência de cada pessoa.

As crenças são os conjuntos de valores que regem a exposição na vida. Elas são espécies de moldes internos que definem as expressões no meio. As atitudes são posturas internas que dão origem às ações no mundo. Os comportamentos são as condutas adotadas ante os episódios existenciais.

Pode-se dizer, resumidamente, que as crenças geram as atitudes, que, por sua vez, definem os comportamentos diante dos eventos da realidade.

As crenças são definidas pelos conteúdos da alma mesclados com aquilo que foi absorvido do mundo externo.

Pode-se dizer que valorizamos demasiadamente certos episódios e depositamos nele as mais preciosas energias provenientes da essência do Ser, como os sentimentos, os talentos e outros componentes da alma.

À medida que acreditamos em algo, adotamos atitudes que se manifestam em forma de comportamentos condizentes àquilo em que cremos. Nossas condutas geram ações no ambiente, produzindo as situações que nos envolvem cotidianamente.

Existem as crenças boas, que constroem os caminhos de realizações, e as crenças ruins, que impedem o fluxo dos potenciais da alma. Elas são frutos da criação que tivemos, portanto podem ser modificadas. Por meio da consciência e dos novos valores adotados, podemos mudar certas crenças que causam uma série de conflitos existenciais e provocam as doenças.

A consciência metafísica, objeto deste estudo, visa a identificar as crenças nocivas ao bem-estar e causadoras das doenças e a questionar os valores que constituíram as crenças, como se fossem espécies de argamassas energéticas que moldaram a maneira doentia de sentir e de se comportar na vida.

As observações cotidianas que faço norteiam as minhas pesquisas sobre os padrões internos. Tais como as crenças e os conteúdos reprimidos, que estão presentes nas situações corriqueiras.

O fato de estar interagindo com os eventos cotidianos proporciona condições para eu identificar as causas dos sofrimentos que assolam as pessoas e ocasionam os medos excessivos, as angústias e tantos outros processos mentais e emocionais que comprometem a qualidade de vida e provocam as doenças no corpo.

Nesta fase de busca pelas causas metafísicas da saúde, procuro observar as pessoas que sofrem das doenças estudadas nos livros.

Participo de eventos relacionados aos assuntos, procuro acompanhar os desencadeamentos das doenças e dos tratamentos clínicos. Envolvido com o processo da doença, estudo os aspectos fisiológicos e anatômicos dos órgãos afetados pelas doenças.

Realizo grande parte desses estudos dos órgãos no escritório, cercado de livros de medicina, que me possibilitam conhecer os aspectos clínicos das doenças.

Aliado à bagagem das vivências práticas do cotidiano e das doenças estudadas, elaboro os textos destas obras.

Por mais ricas que sejam as minhas experiências de vida e por mais dedicado que eu seja para entender os processos das doenças, nem sempre o conhecimento e a dedicação são suficientes para alcançar o cerne das questões estudadas, ou as causas metafísicas, tanto da saúde quanto das doenças.

Preciso recorrer, então, a outras fontes de inspirações que vão além do plano físico e mental. Ficar restrito ao campo da consciência e limitado ao universo mental impede o meu acesso aos horizontes profundos do Ser.

Esses níveis mais elevados são os campos da alma, que ampliam a visão do mundo e a percepção da realidade, transcendendo os conhecimentos adquiridos no passado e no presente.

Durante esse processo, ocorre o rebaixamento do ego, que é a definição da individualidade. No estado elevado de ego, identificamos somente os próprios conteúdos, o que sabemos e o que somos capazes de realizar. Isso vale para qualquer circunstância da vida, inclusive para este estudo da metafísica da saúde.

Quando não estamos atingindo os objetivos almejados em qualquer setor, seja amoroso, seja profissional ou outros, é porque a nossa bagagem pessoal é insuficiente para aquele patamar de conquista.

Para dar um passo além do que já alcançamos, é preciso recorrer a um fenômeno conhecido como estado alterado de consciência.

Esse processo ocorre espontaneamente; não precisamos fazer nada, ao contrário, é preciso admitir que não temos o que fazer, nem para estabelecer a conexão, nem para solucionar os problemas. Trata-se de um estado de entrega, sem o desejo ardente de soluções imediatas.

Nesse momento acessamos as forças do universo que ampliam os nossos horizontes de percepção, desvendando possibilidades nunca antes imaginadas, que dão novas dimensões ao que vivenciamos. Os caminhos se abrem, sinalizando diretrizes mais claras e assertivas para alcançarmos os objetivos.

É preciso acreditar que não estamos sozinhos, nem isolados no universo, e restabelecer a conexão com um plano infinitamente mais amplo do que o mundo físico visível. Passamos a colher os sinais, a receber inspirações e a mergulhar num mar de oportunidades.

Ficamos tão repletos de conteúdos que indagamos: por que não havíamos pensado nisso antes? Era impossível, porque essas inspirações não pertencem aos campos da mente e, sim, da alma, são do universo. Somente as acessamos quando saímos do restrito universo mental e entramos na esfera astral.

Nesse plano existem as entidades espirituais, os anjos da guarda que acompanham as nossas experiências, e, no momento em que estamos no estado alterado de consciência, eles podem nos transmitir conteúdos que favorecem o bem viver.

Afinal, eles são nossos amigos espirituais, que estão sempre dispostos a nos ajudar; para tanto, precisamos dar abertura para receber as inspirações provenientes da espiritualidade superior. Essa conexão acontece em virtude da sensibilidade apurada, conhecida como mediunidade. Por meio dela, podemos estabelecer comunicação com o plano espiritual.

Em alguns momentos dos estudos da metafísica da saúde, eu acesso essas fontes para obter conhecimentos profundos sobre a causa raiz dos sofrimentos.

A investigação da essência do Ser vai além do emocional. Trata-se da esfera espiritual onde repousam as causas dos fenômenos e da manifestação da alma no corpo e no ambiente.

Nessa área espiritual ou causal são poucos os registros sobre as origens das doenças. Principalmente sobre a quantidade de temas tratados nestes cinco volumes da nossa obra. São mais de vinte anos de estudos e descobertas feitos por meu intermédio e pelo parceiro de estudo, Luiz Gasparetto.

A maior fonte do conhecimento sobre os conteúdos da metafísica da saúde origina-se da esfera espiritual e é trazida pelas entidades que estudam os fenômenos energéticos e espirituais. Os espíritos têm uma visão mais abrangente do universo interior.

Na esfera espiritual, as verdades de cada um saltam à percepção imediata, de todos que estão à volta. As reais condições internas são evidenciadas, mesmo aquelas protegidas pelos mecanismos mentais que se escondem até de nós mesmos, aparecem no plano espiritual.

Os mais profundos sentimentos, sejam os bons, sejam os maus, são prontamente manifestados e revelados em forma de energia que gravita na aura (campo de energia que envolve o corpo físico).

As energias geradas pelos sofrimentos criam um campo nocivo, que envolve o próprio espírito, sufocando os talentos, arrastando a alma para estados degradantes de sofrimento espiritual.

Na qualidade de investigador das condições internas geradoras dos distúrbios emocionais, os quadros de ansiedade, angústia e outros provocam a somatização de doenças no corpo. Quando me conecto com essas entidades consigo atingir o cerne das causas da metafísica da saúde.

Depois dessas revelações por parte dos espíritos, vou a campo para observar esses mecanismos que me são revelados de maneira paranormal. Constato na prática a veracidade dessas descobertas, por meio da observação de casos de pessoas que sofrem das doenças estudadas.

Além dessa comunhão com a esfera espiritual, conto com parcerias e o apoio de pessoas especiais que convivem comigo no plano físico, sem as quais o trabalho não teria toda a extensão de assuntos tratados e tantos órgãos e doenças estudados.

Dentre eles, destaco a participação do amigo nestas obras, Luiz Gasparetto, que me inspira na busca dos conteúdos metafísicos, dá as diretrizes de vários pontos a serem estudados. Além de ser quem me alimenta com novos conhecimentos. Com ele também divido as minhas descobertas.

Tão logo elaboro os textos metafísicos, conto com a observação meticulosa dos conteúdos desenvolvidos, feita pela minha esposa e parceira nestes estudos, Gleides Urbano Testa, que também é psicóloga, com quem realizo trabalhos em conjunto. Ao concluir o texto, submeto-o à sua leitura, análise e opinião.

Afinal, escrevo para os leitores que vão tomar contato pela primeira vez com essas informações. Por isso, é importante saber se a abordagem textual é esclarecedora e de fácil compreensão.

Como você, leitor, pode constatar, antes de este livro chegar a suas mãos, ele passa por vários estágios de elaboração, migrando do plano espiritual para o plano material.

Depois da finalização, começa a trajetória editorial e gráfica, que vai proporcionar boa apresentação, finalização e distribuição do livro.

Que este material não seja apenas uma leitura agradável, mas, sim, a consciência de fatores que precisam ser reformulados em você, evitando que as doenças se instalem no corpo.

Aprenda pelo amor e não pela dor. Desperte a consciência, faça reflexões sobre os seus comportamentos, aceite as suas verdades e respeite os seus limites.

Aplique os conhecimentos das causas metafísicas para amenizar os sintomas das doenças e para minimizar os conflitos existenciais.

INTRODUÇÃO

Este livro é o quinto volume de uma série, sendo quatro volumes já publicados. O objetivo desta série, *Metafísica da Saúde*, é descrever os aspectos interiores e emocionais que envolvem os talentos do Ser na interação com a realidade em que vive, visto que esse deslocamento dos conteúdos internos para o meio externo possibilita o aprimoramento pessoal e espiritual. Esse processo consiste em mobilizar os potenciais internos para lidar com as ocorrências existenciais.

O desenvolvimento emocional e a evolução espiritual favorecem a conscientização dos potenciais do Ser frente às adversidades cotidianas.

A metafísica da saúde faz a relação dos talentos com os órgãos do corpo, como o veículo da vida que possibilita a manifestação do Ser no ambiente. As qualidades inerentes ao espírito energizam o organismo, abastecendo-o energeticamente. Cada órgão é regido por uma dessas forças interiores.

As doenças, por sua vez, refletem os conflitos entre o sentimento de capacidade *versus* as dificuldades oferecidas pelas circunstâncias externas. Como não permanecemos do nosso lado em virtude do desvalor e da baixa autoestima, somos propensos a dar mais importância aos obstáculos e aos outros do que às próprias forças.

Os estudos dessas causas metafísicas das doenças, apresentadas em todos esses volumes, visam a conscientizar os leitores das suas próprias forças internas, para que eles acessem os seus potenciais e se tornem vitoriosos no mundo em que vivem. Ao harmonizarem os níveis internos com o meio externo, as pessoas fazem a interface entre o espírito e a matéria. Além das conquistas existenciais e a realização pessoal, elas mantêm a saúde física dos órgãos do corpo.

Este volume trata dos sistemas ósseo e articular.

No primeiro capítulo são estudados os aspectos da metafísica da saúde relacionados à constituição óssea e aos principais ossos que sustentam o corpo. São descritos os potencias espirituais de consistência em si que nos mantêm seguros emocionalmente e inabaláveis diante das intempéries das situações existenciais, mostrando que, por mais fortes que sejam as rajadas da vida, elas não abalam a nossa firmeza de propósito.

No segundo capítulo, são consideradas as articulações que fazem a junção dos ossos e dão mobilidade ao esqueleto. Metafisicamente, as articulações relacionam-se às qualidades interativas, que flexibilizam as competências do Ser frente às restrições do ambiente interior, possibilitando a mobilidade do esqueleto, ou seja, a movimentação dos talentos internos para a conquista dos resultados externos.

Os ossos funcionam como alavancas e placas de ancoragem, que permitem os movimentos do esqueleto. O conjunto de ossos sólidos, associados à mobilidade das articulações móveis ou sinoviais, forma o esqueleto. Sua estrutura é extremamente forte, embora leve e flexível.

A flexibilidade, relacionada metafisicamente às articulações do corpo, é uma importante qualidade do espírito. Ela possibilita acatar as situações do ambiente e não esmorecer no momento de aplicar os talentos da alma. Ser flexível não significa sabotar as vontades ou negligenciar as aptidões, mas, sim, encontrar uma maneira oportuna e apropriada para manifestar os talentos do Ser, levando assim à conquista dos seus próprios objetivos.

Na sequência, será publicado o volume seis, dedicado ao sistema imunológico (drenagem linfática, anticorpos, baço e timo) e aos órgãos do sentido, englobando a visão, a audição, o paladar e o tato (pele).

Ainda há muito assunto pela frente para compor a viagem interior ao encontro dos seus talentos, que será apresentado no próximo volume. Aproveite os conteúdos metafísicos deste volume e dos outros quatro já publicados para resgatar os seus talentos, ajudando você a se sentir uma pessoa realizada e feliz interiormente, bem-sucedida na sua existência.

Com toda a riqueza de talentos guardados no Ser, pode-se dizer que você tem um tesouro espiritual para ser descoberto e manifestado na vida, possibilitando a abundância material e a elevação espiritual.

Valcapelli

CAPÍTULO 1
SISTEMA ÓSSEO
segurança e autoapoio

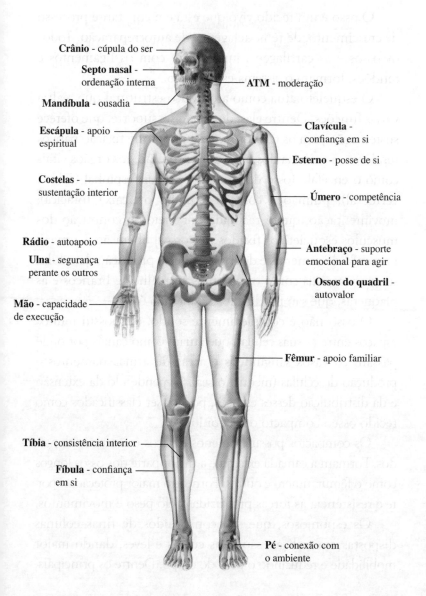

SISTEMA ÓSSEO

Segurança e autoapoio

O osso é um tecido vivo que está em constante processo de crescimento, de remodelagem e de autorreparação. Todos os ossos e as cartilagens, juntamente com os ligamentos e tendões, formam o sistema esquelético.

O esqueleto atua como arcabouço estrutural que realiza várias funções. Dentre elas, destacam-se: suporte, que oferece sustentação para os tecidos moles e pontos de fixação para os tendões e a maioria dos músculos; proteção dos órgãos vitais como o encéfalo (osso do crânio), a medula espinhal (coluna vertebral), pulmão e coração (costelas ou caixa torácica); movimentação, que é realizada por meio da contração dos músculos esqueléticos fixados nos ossos; liberação e armazenamento de minerais e de triglicerídeos; produção de células sanguíneas, tais como os glóbulos vermelhos e brancos e as plaquetas, que são produzidos na medula óssea.

O osso não é completamente sólido, ele possui muitos espaços entre as suas células, que atuam como canais por onde passam os vasos sanguíneos e áreas de armazenamentos e produção de células (medula óssea). Dependendo da extensão e da distribuição desses espaços, podem ser classificados como tecido ósseo compacto ou esponjoso.

Os compactos possuem menos espaços e são mais alongados. Formam a camada externa e a maior parte dos ossos longos como o fêmur, úmero e outros. Fornecem maior proteção, suporte e resistência às forças produzidas pelo peso e movimentos.

Os esponjosos, que são constituídos de finas colunas dispostas em treliças, são mais curtos e leves, dando maior mobilidade e reduzindo o peso do corpo. Dentre os principais, destacam-se os do quadril, os das costelas e os das vértebras da coluna; estão situados nas extremidades dos ossos longos. "De modo geral, aproximadamente 80% do esqueleto é formado de ossos compactos e 20% de esponjosos", segundo Tortora e Derrickson, no livro *Princípios de anatomia e fisiologia*.

Metafisicamente, o sistema ósseo está relacionado à consistência interior, que nos torna seguros para interagir com a realidade. Para fortalecer essas qualidades internas, que não são prontamente percebidas por nós mesmos, procuramos fora ou nos outros o que já existe internamente, mas não o identificamos, tampouco o sentimos.

O sistema ósseo é uma das maiores evidências desse deslocamento para o ambiente em busca do que já faz parte do Ser. Buscamos o apoio dos outros e a segurança material ou financeira nos bens. No entanto, as bases de apoio emocional não estão fora, mas, sim, dentro de nós mesmos. Existem em nós, tanto figurativamente, tais como as qualidades e os talentos do Ser, quanto fisiologicamente, na constituição do arcabouço ósseo, de sustentação do corpo.

Para integrar essas qualidades, no campo das emoções e dos sentimentos, precisamos interagir com elas no mundo externo para trazê-los de volta para dentro de nós. Esse movimento do interno para o externo e vice-versa faz parte do processo de desenvolvimento e de maturidade emocional, que se dá por meio da conscientização.

O fenômeno da consciência foi amplamente estudado por Sigmund Freud. Ele a definiu como uma pequena parte dos estados mentais, que é percebida e assimilada pela própria pessoa.

Para a composição desses estados mentais, o ambiente exterior é fundamental. Por meio dele, a consciência se processa em três estágios: o primeiro é a identificação, que consiste em ver, ouvir e assimilar os eventos exteriores; o segundo é a acomodação, que é decorrente da vivência e interação com os eventos, confrontando-nos com as dificuldades e aceitando a realidade; o terceiro é a apropriação das habilidades desenvolvidas e superação das turbulências vivenciadas.

Assim sendo, pode-se dizer que somos firmes, fortes e vigorosos e contamos com a consistência emocional condizendo com a sólida estrutura óssea do esqueleto, que protege fortemente os demais tecidos e as vísceras do corpo. Quando assumimos essa condição de autoapoio, não precisamos de nada externo, nem de ninguém para nos sentir seguros em relação ao processo existencial. O que quer que nos aconteça não abala a certeza de sermos bem-sucedidos e conquistarmos os resultados almejados. Ainda que percamos tudo na vida, se preservarmos a segurança, conquistamos tudo novamente.

Vale lembrar que a vida é constituída pela realidade à nossa volta, que representa uma espécie de "oficina edificadora da alma". Quando vivemos intensamente cada instante do cotidiano, desenvolvemos os potenciais inerentes ao Ser. Sentimo-nos mais fortalecidos e confiantes. Esse e outros talentos extraídos da vivência perduram por toda a eternidade.

No entanto, a negação e a fuga da realidade nos desconectam do meio, arremessando-nos para o universo do sonho e das fantasias. Passamos a tecer conjecturas internas, que nos distanciam do ambiente, prejudicando o aprimoramento. O torpor ilusório gerado pela mente sufoca os sentimentos e encapsula o Ser, produzindo um estado que pode ser comparado à morte em vida.

Em suma, viver é transferir para o ambiente externo os componentes da alma, tais como os mais puros sentimentos, o afeto, a benevolência, a generosidade etc.; bem como os talentos empregados na administração das adversidades e na conquista dos objetivos e manifestação das vontades. É também se encantar com os episódios agradáveis, aprender com os acontecimentos e não fugir dos desafios existenciais.

Os movimentos mais significativos, que nos tornam vivazes, são de dentro para fora. Fazer e executar são mais importantes do que acatar ou aprender. Assim sendo, devemos valorizar o nosso empenho e nunca desqualificar o que realizamos, tampouco atribuir elevado valor aos aspectos exteriores ou dos outros.

Por meio desse processo de exteriorização de si e consequente interação com a realidade, além do aprimoramento pessoal e da elevação da consciência, nos conectamos com as energias sutis, que gravitam no meio em que habitamos. As forças positivas ou negativas que estão a nossa volta passam a exercer influência no nosso estado emocional.

Vivemos cercados de componentes energéticos que são produzidos pelo pessimismo ou otimismo das pessoas que nos cercam. Também as forças espirituais do bem, tais como as angelicais, ou do mal, que nos atrapalham, passam a agir sobre nosso campo vibracional, de forma a produzirem semelhante padrão energético.

Para que isso ocorra, primeiramente precisamos nos conectar a essas forças, pois nada de fora interfere em nós se não dermos abertura ou internalizarmos. Somos nós que trazemos para dentro esses agentes, sejam eles quais forem, tanto os aborrecimentos com as pessoas que nos cercam, a preocupação exagerada com os outros, quanto as forças provenientes do mau agouro alheio ou do plano espiritual.

CRÂNIO

Cúpula da divindade do Ser.

O crânio é composto de dois conjuntos de ossos: cranianos e faciais. Os ossos cranianos formam uma cavidade que protege o encéfalo, que é o centro do sistema nervoso central. Os faciais constituem uma estrutura frontal de suporte à cavidade nasal, mandibular e outras.

No âmbito da metafísica da saúde, os ossos cranianos correlacionam-se com a firmeza e determinação ao interagirem com o ambiente, com a justa medida entre o que nos é próprio e o que diz respeito aos outros, com a maneira como se concebem os acontecimentos e nos comunicamos com os episódios do cotidiano, tanto em relação ao entendimento quanto em relação à busca dos significados daquilo que se passa ao redor.

O crânio forma uma espécie de cúpula central da capela ou templo, que o corpo representa para a alma, no qual são feitas as conexões energéticas ou espirituais, por meio das celebrações mentais realizadas em nossa cabeça. Os pensamentos são os principais agentes internos, responsáveis por aquilo que será internalizado e irá compor o nosso campo áurico (energia que gravita em torno do corpo). Pensar é celebrar uma condição que poderá se estabelecer em nós, caso venhamos a sentir-nos merecedores do que almejamos.

O pensamento é uma espécie de veio condutor ou antena que focaliza os conteúdos condizentes ao que é gerado nele. No entanto, o agente interno definitivo para essa conexão e consequente internalização é o sentimento. Pensar também nos leva a ter sentimentos. Quando isso acontece, passa a ser a nossa condição interna definitiva, que se fortalece com os componentes exteriores.

Começamos a replicar interiormente pensamentos que alimentam a energia do ambiente, que passa a ser nossa também. Assim, os bons resultados da atmosfera que sintonizamos serão colhidos, bem como os reflexos negativos irão nos afetar diretamente. Pode-se dizer que aquilo que ajuda ou atrapalha é primeiramente sentido internamente. Somos nós mesmos que mais favorece ou atrapalha o curso existencial.

Zelar pela atmosfera psíquica, cultivando a positividade na mente, representa uma atitude que atrai boas energias, contribuindo favoravelmente para obtermos resultados promissores, bom astral e qualidade de vida.

FRATURA DE CRÂNIO

Rebelião contra o poder e a autoridade.

Também chamada de traumatismo craniano, normalmente é causada por acidentes, não raro toma proporções graves, podendo levar à morte ou invalidez.

No âmbito da metafísica da saúde, refere-se a profundos abalos na interação com o ambiente. Quando estabelecemos um confronto de ideias ou valores e percebemos que não temos nenhuma chance de intervir no ambiente de forma a evitar o inaceitável, ficamos decepcionados. Sentimo-nos completamente impotentes para influenciar os outros e mudar o curso dos acontecimentos.

As nossas crenças e valores são ameaçados, tanto em relação aos conceitos estabelecidos internamente sobre os fatos quanto ao papel que desempenhamos nos acontecimentos. Sentimo-nos impossibilitados de expressar as vontades e necessidades, bem como impedidos de conduzir os episódios existenciais. Ficamos à mercê de autoridades que se mostram incontestáveis, causando-nos sensações de exclusão e impotência ante o regime dominante.

Esse conflito de proporções emocionais profundas gera um campo de energia densa, atuando no ambiente, de forma a conspirar para atrair o fatídico acidente, causador da fratura craniana. Para mudar esse padrão, antes de ocorrer a somatização, faz-se necessário rever algumas condutas relacionadas à interação com os acontecimentos.

Quando a indignação pela impotência diante da autoridade invadir o seu coração, antes de você entrar num impasse conflituoso, que abala a convivência familiar ou profissional, procure discernir entre o que realmente diz respeito a si e o que pertence exclusivamente aos outros. Mesmo sofrendo alguns reflexos desagradáveis da situação, nem sempre lhe compete intervir de maneira conclusiva para eliminar os episódios ruins. Caso seja possível minimizar, isso já são proveitos, visto que a solução definitiva não é de sua competência.

O acidente decorre do rompimento das barreiras entre o interno e o externo. Perde-se o senso do que é próprio de si e o que diz respeito aos outros. Assim, eventos desagradáveis, como os erros ou absurdos cometidos por alguém do meio, invadem o seu interior como se fossem dirigidos à sua pessoa, quando, na verdade, aquela é uma forma exclusivamente dos outros, cabendo-lhe apenas participar dos eventos. Ainda que seja desconfortável, sua participação não é determinante sobre os episódios.

Deixe que cada um conduza o processo à sua maneira, quando for de competência deles. Estejam acertos ou errados, isso faz parte da experiência. Todos têm uma chance, afinal, somos norteados pelos acertos e erros.

Por outro lado, interfira sempre que a situação for de sua competência. Quando for esse o caso, a sua omissão é um agravante desse conflito. Para respeitar os limites alheios, você reprime o seu posicionamento, que seria determinante sobre os eventos do meio. Essa conduta o agride e pode se deslocar para o meio, atraindo o acidente que ocasiona a fratura no crânio. O autorrespeito é fundamental nesse processo. Assuma o poder de conduzir a vida, antes que os outros o façam com menos talento que você.

MANDÍBULA

Impetuosidade e ousadia.

Trata-se do maior e mais resistente osso da face. É também conhecido como maxilar inferior. Os dentes estão cravados na mandíbula e, em função da articulação temporomandibular (ATM), a mandíbula realiza os movimentos da mastigação. A mandíbula expressa metafisicamente a vontade da pessoa de se lançar na vida, com a confiança de alcançar os objetivos existenciais sem inibir-se, tampouco sentir-se constrangida perante os outros. Mas com a firmeza de propósito e a disposição para tomar as medidas cabíveis, sem medo dos resultados ou das críticas alheias. É a base de sustentação interior que favorece a mobilidade no meio e a viabilização dos talentos da pessoa, contribuindo para atingir os objetivos. Acreditar em si mesmo é de fundamental importância para não se esmorecer diante das dificuldades.

Leia mais sobre esse tema e também a respeito da dosagem da força agressiva e o deslocamento do maxilar ou quando o maxilar trava no volume 1 desta série (*Metafísica da Saúde*: volume 1, p. 109).

Problemas na mandíbula representam os momentos em que nos sentimos frágeis e suscetíveis às adversidades na hora de agir, sejam relacionadas aos fatores impeditivos da situação, sejam provenientes das pessoas ao redor, que não correspondem aos nossos intentos.

Mandíbula projetada para frente (Prognatismo mandibular) trata-se de uma desordem no crescimento esquelético facial. Metafisicamente, representa a falta de conteúdos emocionais, que desenvolve a baixa autoestima, gerando sentimento de despreparo para interagir com o meio. Mesmo assim, a pessoa persiste em se lançar na situação. Seu atrevimento não representa uma ação fortalecida dos conteúdos internos. Teme os resultados desagradáveis, mesmo assim, não se rende aos próprios medos.

Pode-se dizer que não desiste, tampouco se acovarda, usando uma expressão popular: "parte para cima com a cara e a coragem". Além dos métodos cirúrgicos para corrigir esse deslocamento mandibular, é necessário aprimorar os conteúdos internos, antes de partir para ação. Não ser imediatista, preparar-se emocionalmente para aquilo que pretende realizar no ambiente.

Mandíbula para dentro (queixo pequeno ou pouco projetado) representa uma espécie de freio emocional que retém os impulsos, inibindo a força de ação. A pessoa se boicota diante dos desafios, nega as suas vontades, não confia no seu potencial. Ela deixa de fazer a sua parte, comprometendo o andamento dos seus projetos. Vive como se tivesse um cabresto emocional.

Sente-se inferiorizada, coloca-se para trás e se autodeprecia; principalmente quando está na companhia de alguém. Valoriza mais os outros, enaltecendo as obras alheias em detrimento do que ela mesma realizou.

Mesmo desprovida dos recursos necessários para ser bem-sucedida numa situação, possui capacidades internas que possibilitam buscar os meios e atingir os objetivos. Quando ela não sabe fazer algo, tem a curiosidade e a facilidade para aprender.

Ao colocar o seu poder em ação, não existirão ocorrências ou alguém que impeçam o seu sucesso.

ARTICULAÇÃO TEMPOROMANDIBULAR (ATM)

Moderação e comedimento na expressão.

Trata-se da articulação da mandíbula com a base do crânio e com o maxilar superior. É composta por músculos, ligamentos articulares, ossos e arcada dentária; coordena a abertura e o fechamento da mandíbula, realizando a mastigação.

A expressão no ambiente geralmente acontece na presença de mais alguém, que compartilha as mesmas situações. Essa interação requer bom senso para administrar as diferenças, quanto à maneira de pensar e de agir de cada um. Ao compartilhar esses momentos juntos, faz-se necessário assumir os próprios pontos de vista e respeitar as características e o ritmo alheios. Quem se aceita, respeita a si e é moderado na expressão, pois não busca provar seu valor, tampouco se autoafirma, com gestos desnecessários e exacerbados.

A agitação compromete a harmonia, desestabiliza os movimentos, gerando desgaste excessivo, com poucos resultados. Sem contar o prejuízo nos relacionamentos, a maneira acirrada como agimos geralmente afeta aqueles que estão em volta. Esses conflitos, além de gerarem ferimentos emocionais em nós e nos outros, prejudicam a parceria, inviabilizando os resultados. Em vez de somar forças, enfraquecemos os laços e desmotivamos nossos aliados.

Raramente alcançamos a vitória sozinhos; a parceria deve ser celebrada em diversos setores da vida. Para cultivar o senso de equipe, precisamos de moderação e comedimento nas nossas ações. Os exageros e a impetuosidade prejudicam o trabalho em grupo.

Em se tratando dos relacionamentos afetivos, a qualidade do Ser relacionada à ATM é de fundamental importância para vivermos em paz com quem queremos bem, buscando um ponto de equilíbrio entre o sabor da boa companhia e a coordenação das atividades práticas, respeitando o tempo e o ritmo do outro.

Por outro lado, não devemos sufocar os próprios anseios, colocando-nos em último plano. O autoboicote provoca a nossa ausência no meio e consequente infelicidade. Queremos agradar os outros para ficarmos bem e sermos felizes no relacionamento. Com isso, costumamos negar a nossa expressão autêntica. Vamos causando um distanciamento emocional e gerando carências, que enfraquecem os laços afetivos.

A saúde da ATM consiste em preservar a moderação e cultuar o comedimento, sem exageros para mais ou para menos. Melhor dizendo, não extrapolar, tampouco se reprimir. Dosar a força expressiva e interagir com coerência.

Problemas da Articulação Temporomandibular, também denominados de transtornos da ATM. Eles provocam dores ao redor da orelha, presença de ruídos ou estalidos ao abrir ou fechar a boca, cefaleia, sensibilidade dentária e desgaste anormal dos dentes. Dentre as causas físicas, destacam-se o alinhamento inadequado dos dentes, rangido (bruxismo), traumas e artrite.

No âmbito da metafísica da saúde, os problemas de ATM referem-se ao deslocamento de força depositada nas situações improdutivas e à descompensação na hora de atuar. Representa perda da assertividade, tornando a pessoa dispersa e com dificuldade de mobilizar as próprias forças.

Ela se confunde na hora de manifestar as suas vontades. Geralmente a atuação está aquém das competências internas. O desempenho pessoal fica comprometido em nome da política das boas relações. Para não desagradar, a pessoa valoriza mais os outros do que si mesma. Em vez de ser sincera e expor os seus sentimentos, ela prefere se calar e internalizar as suas indignações.

Uma das questões mais conflituosas é a não aceitação das próprias tendências, em que a vontade é negada pelo próprio senso de certo ou errado. Melhor dizendo, voltar contra si é mais danoso emocionalmente do que ir na contramão das situações. Um dos processos somáticos mais comuns dessa condição é o bruxismo, como segue.

BRUXISMO

Negação dos sentimentos hostis.

Existem dois tipos de bruxismo: o diurno e o noturno. O bruxismo do sono é caracterizado pelo ranger dos dentes de forma involuntária enquanto dorme, exercendo forças excessivas sobre a musculatura mastigatória, provocando o desgaste dos dentes. A palavra bruxismo é de origem grega, *brycheinm*, que significa ranger dos dentes.

No âmbito da metafísica da saúde, refere-se à negação da impetuosidade e à reprovação de alguns desejos ou sentimentos, julgados impuros ou condenáveis.

Existe uma zona de conflitos interiores entre os sentimentos gerados naturalmente diante de situações desagradáveis e sua reprovação. Quando somos reprimidos, por exemplo, imediatamente o desconforto e certo grau de irritabilidade provocam a raiva, mas, por algum motivo, não admitimos esse estado raivoso, imediatamente inconscientizamos essa ira.

Geralmente as pessoas muito ativas e impulsivas geram fortes emoções, que vão além de sua capacidade consciente de suporte, tais como: odiar a quem ama e vontade de xingar aquele de quem gosta e, assim, sucessivamente.

Trata-se de conflitos entre os desejos reprováveis de ofender a quem queremos bem e do amor e ódio. Diante dos desagrados, por instantes odiamos e queremos revidar e ir à forra, ofendendo as pessoas queridas. Esses ímpetos são internalizados de forma que conscientemente não os manifestamos; sequer admitimos pensar a respeito. No entanto, quando nos recolhemos ao sono, entramos em contato com esses conteúdos e manifestamos os sintomas de bruxismo.

Quando a mãe reprime o seu filho, por exemplo, ele é tomado por frustrações e, dependendo da forma como é tolhido ou da intensidade da sua vontade, passará a desejar mal à sua genitora. O contrário também acontece, quando a mãe, geralmente as mais jovens e imaturas, querem sair para se divertir e não o fazem por causa do bebê. Diante desse desconforto, ela poderá projetar no seu filho o seu descontentamento, gerando impulsos negados e reprimidos.

Isso explica a revolta de que somos tomados quando assistimos aos absurdos que são cometidos contra os filhos ou os pais. Ficamos tão indignados com essas catástrofes, pois, de certa forma, o evento faz parte do imaginário do ser humano. É como se a tragédia alheia viesse ao encontro de semelhantes fantasias e dos anseios camuflados. Não significa que sejamos capazes de ir às vias de fato, mas nutrimos sensações desconfortáveis e reprováveis. Ao nos depararmos com a prática dessas tragédias, nos impressionamos com tais absurdos, inconscientizando ainda mais esses impulsos.

Entre casais, também acontece algo semelhante, quando um precisa sinalizar ao outro os limites financeiros ou apontar os excessos que ele está cometendo. O descontentamento com a renúncia dos seus caprichos é projetado em quem alerta e não nas suas reais limitações, sejam de ordem econômica, sejam sociais. Aquele que comunica o fato é o pivô das frustrações alheias. Não raro, ele ainda ouve do seu companheiro colocações agressivas, como se fosse quem está apresentando as limitações o causador dos impedimentos que lhe frustram os desejos. Quando, na verdade, é a própria pessoa que não ampliou as suas condições socioeconômicas para manter suas novas responsabilidades e continuar usufruindo como o fazia antes.

A aceitação representa uma espécie de elixir metafísico para o bruxismo. Admitir o que sente, rever as frustrações e ter contato com os seus mais íntimos sentimentos é lidar com esses conteúdos sem reprovações. Vale lembrar que, quanto mais negado e reprimido, maior será o abalo emocional. Já com a aceitação, o componente emocional reduz a sua tensão interna.

Aceite todos os seus sentimentos, até mesmo aqueles que não o promovem à condição de evoluído ou de elevação espiritual. A evolução não é medida somente pela existência de componentes positivos em nosso interior, mas, sim, pela escolha daqueles que regem as nossas atitudes e florescem durante a vida.

Não devemos dar tanta importância aos impulsos que emergem no Ser, mas, sim, qual deles vamos selecionar para reger as nossas ações. Tomar consciência da diversidade das emoções promove habilidade para selecionar o que favorece a nossa existência e contribui para o bem-estar próprio e o de todos que nos rodeiam.

O bruxismo diurno difere do noturno, pois é caracterizado pela atividade semivoluntária da mandíbula, de apertar os dentes ao longo do dia, sem ranger. Trata-se de hábito ou tique nervoso, que deixa tensa e dolorida a região da mandíbula e da ATM, podendo até ficar travada ocasionalmente.

Essa manifestação correlaciona-se metafisicamente à repressão das vontades. É uma espécie de freio dos impulsos. Temendo os resultados desastrosos da atuação, a pessoa prefere conter suas impetuosidades para não comprometer a sua imagem.

Diante das situações desafiadoras do cotidiano, emergem desejos de participar ativamente dos acontecimentos. Isso gera expectativas quanto ao melhor momento para se manifestar. Em vez de traçar estratégias de atuação, ela especula mentalmente as possibilidades de insucesso, gerando tensões. Insegura dos possíveis resultados, reprime seu desejo de interagir.

Ao cerrarmos os dentes, pressionarmos a mandíbula e tencionarmos a articulação temporomandibular, reprimimos a força de expressão. Ao mesmo tempo em que essa contratura mandibular proporciona contato com as bases emocionais de segurança, dificulta a exteriorização dos impulsos de atuação.

Para mudar esse padrão emocional e relaxar a musculatura mandibular, faz-se necessário dar vazão à vontade de participar ativamente das situações ao redor, manifestando os impulsos sem medo, tampouco insegurança; acreditando em si e na capacidade de produzir resultados promissores com o seu bom desempenho na vida.

SEPTO NASAL

Ordenação interna na interação com o meio.

O septo é uma espécie de lâmina vertical, formado por ossos e cartilagens, localizados no interior do nariz, dividindo a cavidade nasal em dois lados: direito e esquerdo.

No âmbito da metafísica da saúde, ele relaciona-se à ordenação das ideias para atuação no ambiente, à clareza de raciocínio na interpretação dos eventos exteriores e à objetividade que viabiliza a expressão.

Saber exatamente o que pretende e quais os meios para atingir os objetivos são atributos de uma pessoa vencedora, que dribla os obstáculos, encaminhando seus ideais a fim de concretizá-los, somando forças com a parceria e o justo reconhecimento de valores.

A maneira como acatamos os eventos cotidianos e a justa atribuição de responsabilidades às pessoas diretamente ligadas aos eventos favorecem a interação com a realidade. Não devemos contar com quem não possui os atributos necessários, tampouco sermos displicentes com aqueles que colaboram com a realização dos nossos intentos.

Atribuir justo valor a quem realmente merece e fazer aquilo de que somos capazes, sem depender dos outros, são componentes internos favoráveis para a saúde do septo nasal.

DESVIO DO SEPTO NASAL

Deslocamento do afeto.

Um septo nasal desviado é aquele que se curva para um lado, saindo da linha mediana da cavidade interna do nariz. O desvio dificulta ou bloqueia o fluxo de ar durante a respiração, no lado comprometido.

No âmbito da metafísica da saúde, refere-se à falta de reconhecimento de quem realmente faz jus a nossa dedicação. Damos atenção e carinho a quem não merece e não prestigiamos quem está do nosso lado incondicionalmente.

Trata-se de uma interação com o meio, sem a ordem interna, tampouco a estabilidade emocional para avaliar a justa medida do merecimento daqueles que compartilham o nosso cotidiano. Geralmente consideramos mais as pessoas estranhas do que aqueles que fazem parte do nosso dia a dia, que compartilham os momentos bons ou ruins. Quem mais nos apoia são os menos considerados. Já aqueles que participam das situações cotidianas, ocasionalmente são prestigiados, com elevada dose de ternura e agradecimento.

Independentemente do processo somático de desvio do septo, é comum sermos mais amáveis com os estranhos do que com os de casa. Em alguns casos, isso ocorre pelo desgaste da convivência. No entanto, há um fator interno que pode ser considerado como cisão emocional, que separa o prazer do sentimento[1].

Esse conflito é gerado durante episódios da infância em que as pessoas pelas quais a criança nutria elevado afeto

---

1 Leia mais a respeito desse estado afetivo no livro *Amor sem crise*, tópico: amor e sexo. Valcapelli. São Paulo: Editora Vida e Consciência, 1999.

fizeram-na passar por grandes constrangimentos, como ser convocada pelos entes queridos a apresentarem aquilo para o que ainda não estavam prontas, desrespeitando a sua timidez e outras situações vergonhosas para a criança. Ou ainda, ocorrências de maior gravidade, como o abuso sexual por parte de pessoas estimadas. Esses episódios podem instituir traumas que formam barreira energética, que interferem negativamente no prazer com as pessoas queridas. Quanto mais gosta, menos agradável se torna compartilhar os momentos, e, quando não tem afeto, mais curtem as companhias.

É necessário restabelecer essa conexão dos níveis afetivos e prazerosos. Parar de deslocar afeto para pessoas menos importantes e se reprimir quando quer bem. Voltar a depositar afeto sem constrangimento, pois atualmente estamos cercados de pessoas que nos respeitam e, se elas faltarem com o respeito, vamos saber pôr limites, preservando a satisfação e o bem-estar.

Caso não consigamos trabalhar essas questões emocionais, podemos sofrer alguma pancada no nariz que danifica ou quebra esse delicado osso ou articulações do septo nasal. Durante a recuperação, a cicatrização pode ocasionar um desvio do septo para a direita ou esquerda. Cada uma dessas posições revela certo tipo de prejuízo nas relações interpessoais, como se observará em seguida.

Desvio para a esquerda, estrangulando a cavidade nasal desse lado. Relaciona-se metafisicamente à dificuldade de acatar a colaboração dos outros. A pessoa se mostra fechada para qualquer tipo de ajuda. Torna-se difícil participar das suas atividades, ela boicota os outros, desconsiderando as expressões de carinho.

Para mudar esse padrão, é necessário aceitar suas próprias fraquezas, ser mais sensível aos outros, tornar-se menos prático e mais compreensível, aprender a linguagem do afeto e dar mais abertura aos outros.

Desvio para a direita, obstruindo esse canal do septo. A pessoa dá mais espaço aos outros do que a ela mesma. Prestigia aqueles que estão a sua volta e se autodeprecia. Deixa de fazer a sua parte pelo excesso de consideração e demasiado respeito. Sabota a sua vontade de participar e não se dá o direito de fluir livremente nas situações.

Assume responsabilidades excessivas e se sobrecarrega de afazeres. Vive desesperada para dar conta das atividades. O fato de não saber conciliar os seus afazeres e a atenção especial aos outros dificulta ainda mais a sua fluência.

Para reverter esse processo, faz-se necessário organizar o seu mundo interno, dividir responsabilidades e delegar aos outros uma parte das tarefas; situar-se no presente; não se atrapalhar pelos outros e, ainda, se dar o direito de manifestar os seus potenciais.

CLAVÍCULA

Confiança no sucesso.

A clavícula é um osso localizado na parte da frente da região superior do ombro, que transmite força mecânica dos braços para o tronco.

Metafisicamente é a base de suporte emocional e espiritual para a realização dos sonhos. Refere-se à certeza de que podemos alcançar os nossos objetivos e sermos bem-sucedidos naquilo que idealizamos. Ao agir na situação presente, gradativamente, vamos criando condições externas favoráveis ao sucesso. Paralelamente intensificamos a vontade de seguir em frente, aumentando a visibilidade das perspectivas promissoras. Mantemos a clareza do nosso lugar ao Sol e a confiança de que, mesmo os acontecimentos atuais sendo desfavoráveis, na ocasião oportuna, conquistaremos os nossos intentos.

A mobilidade adquirida ao lidar com os episódios cotidianos, principalmente aqueles relacionados aos nossos anseios, reforçam os conteúdos emocionais pertinentes ao curso escolhido na trajetória existencial. Passamos a acreditar que é possível atingir as metas.

Não se trata do potencial criativo do Ser[2], que especula os meios para alcançar os objetivos. A clavícula refere-se à capacidade de nos sustentarmos emocionalmente durante as atuações, enaltecendo os atributos interiores que nos levam a alcançar os resultados almejados.

Ela relaciona-se com a visão distante que desvenda as conquistas vindouras, que não se restringe às limitações do

---

2 Leia sobre a criatividade no volume 2, p. 119. Tema: ovários

presente; a concepção dos resultados promissores que estão ao nosso alcance, caso preservemos a firmeza de propósito e a sustentação emocional necessária para atingir as metas.

Problemas na clavícula: fratura, dor e tensões musculares na região do ombro representam metafisicamente uma visão restrita das atividades cotidianas, que se limita ao fato em si, sem quaisquer perspectivas vindouras favoráveis. A pessoa se entrega ao imediatismo como se ela se resumisse ao que se passa na atualidade, rompendo com os seus sonhos.

Em vez de visualizar os resultados do seu desempenho, focaliza somente o trabalho que está desempenhando. Mergulha nos compromissos, tornando-se escrava das obrigações. Essa atitude reducionista compromete o prazer e a satisfação durante a execução das tarefas.

Ela não admite relaxar e se entregar ao fluxo da vida, acreditando no seu senso de responsabilidade. Ao contrário, a pessoa teme obter resultados desastrosos e receia ser displicente com a situação ou com os outros.

Lembre-se, independentemente dos acontecimentos presentes, o que faz parte da nossa vida está nos aguardando a alguns passos à frente. O que não for alcançado é porque não condiz com o nosso processo existencial. Não existem fracassos, somente reforço do caminho evolutivo. Somos poupados dos desvios de percursos das falsas metas traçadas com base nas experiências alheias ou nos sonhos dos outros.

Acredite! O que fizer parte do seu caminho vai surgir à sua frente. Entregue-se ao presente, confiante nos bons resultados advindos da expressão das suas potencialidades. Volte às bases internas, resgate os seus propósitos e não se perca nas obrigações ou funções impostas pelas circunstâncias exteriores. Deixe os sonhos florescerem e tomarem conta do Ser, pois eles representam a luz que ilumina o seu caminho existencial.

ESCÁPULA

Proteção e apoio interior e espiritual.

A escápula é composta por dois grandes ossos triangulares localizados na parte superior das costas, sendo um de cada lado do ombro. Juntam-se com a cabeça ou a extremidade do úmero (osso do braço), para formar as articulações do ombro.

Essa base de sustentação óssea da região superior do tórax está relacionada, metafisicamente, ao aparato de apoio e proteção espiritual presentes em todos os momentos da vida. Quando estamos à mercê de situações perigosas, sem perceber, somos cercados por algum tipo de ajuda ou de proteção. Sejam internas, sejam externas, elas evitam que soframos quaisquer danos.

Internamente somos dotados de intuição, talentos e fontes de boas energias que nos esquivam dos reflexos nocivos da situação. Pode-se dizer que somente seremos afetados quando existir interiormente algo correlacionado com o que nos acontece de ruim. Portanto, se estivermos num astral elevado e com bom humor, nada de grave nos acontecerá, pois não entramos em ressonância com as esferas negativas. Essa é uma forma de proteção natural, pelo próprio padrão. Enquanto permanecemos no bem, nos autoprotegemos.

A proteção também vem de fora. Isso não significa que nos momentos difíceis surgirá do nada um Ser maravilhoso para nos resgatar dos sofrimentos, ou uma fonte reluzente e brilhante que removerá as ameaças dos caminhos.

Geralmente, durante os momentos mais arriscados, a ajuda está presente e vem de onde menos esperamos. Como, por exemplo, quando algum integrante da situação que, até então, nos oferecia riscos, surpreendentemente intercede a nosso favor, poupando-nos de maiores desconfortos. A impressão é de que esse indivíduo tenha sido inspirado por algum benfeitor espiritual para nos proteger.

Por outro lado, se formos afetados de alguma forma, é porque existem dentro de nós componentes emocionais nocivos, que atraem os infortúnios. Caso contrário, não haveria ressonância com a maldade ou seriamos poupados por meio das intervenções benéficas.

A escápula representa uma espécie de espinha dorsal da nossa espiritualidade. É uma espécie de eixo da conexão com o plano extrafísico. A porta de entrada da inspiração com os seres de luz, mentores ou anjos da guarda. Estabelece um campo de liberdade do mundo material, ampliando os horizontes para a esfera espiritual, melhorando a desenvoltura existencial.

COSTELAS

Consciência das qualidades inerentes ao Ser.

Doze pares de costelas em forma de arco estendem-se das vértebras da coluna até o osso do esterno (localizado no centro do peito), onde são fixadas por uma extensão cartilaginosa, dando certa mobilidade que evita fraturas, mediante golpes ou quedas.

O arcabouço formado pelas costelas fornece uma estrutura de suporte e de apoio estrutural para a caixa torácica, protegendo os órgãos vitais que representam a fonte de vida, que habita em nosso interior. A sua consistência manifesta a qualidade de preservar os atributos do Ser, sem, no entanto, reprimi-los. Os vãos entre as costelas, ocupados pelos músculos intercostais, representam um espaço para dar vazão a esses componentes internos.

Metafisicamente, as costelas representam as bases de apoio emocional das qualidades do Ser, relacionadas com os órgãos vitais localizados no interior da caixa torácica. São eles: o coração, o pulmão e o timo.

Os atributos metafísicos do coração correspondem ao entusiasmo e à motivação. As costelas representam a nossa capacidade de manter acesa a chama do desejo e da vontade, que são fontes de avivamento, e de despertar esses talentos que precisam se expandir para todo o ambiente externo. A sensação de segurança com a presença das costelas na região torácica colabora positivamente, no sentido de nos incentivar à busca dos meios para concretizar aquilo de que gostamos e que, nos faz bem.

O mesmo ocorre com os impulsos de interação com o ambiente e a capacidade de fazer amizade, metafisicamente relacionadas com o pulmão. A consistência das costelas acentua nosso potencial de promover o envolvimento e a proximidade com as pessoas que participam da nossa vida. Saímos de nós e voltamos para o meio, interagindo com todos que comungam dos mesmos interesses.

Nossas qualidades afetivas manifestam-se por meio do carinho direcionado aos outros, metafisicamente, essa capacidade de manifestar a ternura associa-se ao timo. Esses potenciais revelados no ambiente criam campos de convivência agradável com as pessoas. Mesmo nos exteriorizando na interação com o meio, não podemos perder a conexão com a nossa essência interior; pois somos a fonte do amor que sentimos pelos outros. O rompimento com nossas fontes internas compromete a manifestação do sentimento de amor.

A chama da vida surge para reluzir e a disposição das costelas favorece essa vazão. O apoio interno é imprescindível para a exposição dos nossos talentos. Abastecidos de nós mesmos, transferimos para o ambiente os componentes positivos do Ser.

Problemas nas costelas: fraturas e luxações[3].

As lesões de costelas geralmente são causadas por impactos, quedas ou outros acidentes. Quando fraturadas, normalmente são muito dolorosas. Os esportes com contato corporal podem provocar as luxações, que consistem no deslocamento da cartilagem que se desprende do osso do esterno, resultando em frequentes dores, principalmente durante a respiração profunda.

Nem sempre encontramos um ambiente promissor para as nossas manifestações. Quando nos deparamos com as adversidades e resistências aos mais caros sentimentos, sentimos

---

3 Leia também mais adiante, fratura e fratura nas costelas: página 107 deste volume.

esse abalo repercutir fundo nas emoções. Sentimos a afronta do meio e ficamos extremamente abalados.

Praticamente, o que nos referencia como pessoa, de alguma forma, é desqualificado. Perdemos o veio de expressão que mantém a autoestima, abalando a referência afetiva e existencial. Momentos como esses são propícios para atrair algum tipo de impacto ou de acidente que afetam as costelas.

Esses profundos abalos emocionais nas constituições internas devem ser sanados por meio da autoconsciência. Devemos ser mais partidários a nós mesmos do que dar tanta importância ao ponto de vista alheio. Não podemos tomar os resultados momentâneos como definitivos e compartilhados por todos. Pode ser apenas uma opinião isolada, que não expressa o pensamento da maioria.

Sobretudo o ponto de vista alheio, independentemente de quantos o compartilham, não deve ser mais importante do que a nossa própria concepção. Para ajudar na recuperação, faz-se necessário resgatar a firmeza interior, voltar a ser o seu maior aliado e não se abalar com os contratempos ocasionados pelas circunstâncias da realidade. Lembre-se, tudo passa e o que levamos da situação é o que sentimos durante os episódios.

ÚMERO

Sustentação das atividades.

É o maior e mais longo osso do braço. O úmero estende-se da escápula (osso do ombro) ao cotovelo.

No âmbito da metafísica da saúde, os braços são espécies de alavancas existenciais de manifestação e interação com o meio. Especificamente, o úmero representa a nossa competência e sustentação para agir, as bases de apoio para as nossas ações, bem como a competência para ir até o fim dos objetivos traçados.

Não se trata de mera especulação ao atuar, mas, sim, de ações fortalecidas com os atributos internos suficientes para concluir as tarefas que foram assumidas previamente.

A saúde desse osso representa a crença de que somos capazes de cumprir as incumbências e de acreditar na condição interna de que podemos dar conta do que for necessário para a concretização dos afazeres.

Problemas no osso úmero representam metafisicamente a busca de apoio fora de si ou nos outros. Depois de esgotar suas forças, na tentativa de executar as tarefas, a pessoa sente que os seus esforços foram em vão. Frustrada, inferioriza-se e busca pontos de apoio externo. Um exemplo disso é o uso de muletas. A recomendação do seu uso é por causa da perna. Precisar de muletas ou bengalas para caminhar representa não se sustentar nas próprias pernas ou não confiar nas suas forças.

Obviamente, a necessidade do seu uso é decorrente de acidentes, alguma doença ou de procedimentos cirúrgicos. Segundo a metafísica da saúde, independentemente das causas físicas que exijam o uso desses reforços para a marcha, representa o abalo da certeza de que somos capazes e autônomos, e de que temos condições para nos conduzir na vida e ser bem-sucedidos nas diversas áreas da existência.

Para deixar de usar muletas ou bengalas é necessário que a pessoa fortaleça o emocional. É preciso retomar a confiança em si, não somente para caminhar efetivamente, mas para voltar a acreditar no seu potencial realizador.

ANTEBRAÇO

Apoio em si para a execução de tarefas.

O antebraço é formado por dois ossos paralelos: rádio e ulna. O rádio localiza-se na parte anterior (da frente); em relação à mão, ele está na linha do dedo polegar. A ulna, na parte posterior, na direção do dedo mínimo (mindinho).

Na mobilidade dos braços, a região do antebraço é a que mais se expõe aos movimentos, exigindo firmeza e determinação na execução das atividades.

Metafisicamente, o antebraço refere-se à capacidade de se manter ativo, executando as tarefas com vigor e determinação.

Quando estamos em busca dos meios práticos para realizar os objetivos, é salutar recorrermos às competências previamente desenvolvidas, utilizando os conhecimentos adquiridos nas experiências anteriores. Nesse caso, o passado é como um banco de potencialidades cujos dividendos são as habilidades aprimoradas ao longo do trajeto existencial. Dia a dia depositamos uma ação no sentido de adquirir aprendizado. Entre acertos e erros, comparados aos lucros ou perdas, vamos acumulando bagagem pelo exercício dos afazeres.

Esse movimento de buscar no interior proporciona a firmeza e consistência emocional, necessárias para dar maior destreza durante as atividades presentes. O aprendizado é constante, sempre tem algo mais para desenvolver. O que levamos em todas as nossas ações é a certeza de executar tudo a que nos propusermos. Podemos não saber previamente, mas temos competência para aprender. Essa atitude nos deixa confiantes e determinados para agir.

Fratura no antebraço, metafisicamente, representa abalo na certeza de que podemos nos manter nas situações. Com a falta de convicção no potencial realizador, perdemos a confiança em nós mesmos.

Ante os acontecimentos inusitados e difíceis de solucionarmos, em vez de buscarmos recursos em nós mesmos no "banco interior" do desenvolvimento do Ser ou mesmo na própria situação em questão, contrariamente a isso, recorremos aos outros, buscando soluções para as nossas dificuldades ou falta de habilidade. Agindo assim, estamos negligenciando a capacidade de aprender ou de ler os sinais do evento, que indicam a direção da solução. Essa se encontra em nós mesmos ou no próprio problema; dificilmente nos outros.

Recorremos aos outros quando esgotamos as buscas internas e não estamos identificando os sinais do ambiente. Recorremos a eles para obter as direções ou inspirações por medidas e procedimentos cabíveis a serem adotados e não para angariar soluções, ou para que de alguma forma, eles sanem as nossas dificuldades.

Esse movimento de buscar solução nos outros ou esperar que eles intercedam a nosso favor, resolvendo aquilo de que não estamos dando conta, representa um dos maiores abalos emocionais, metafisicamente causadores das fraturas do antebraço.

Também a busca de aprovação em relação ao que estamos realizando representa metafisicamente uma conduta nociva para o antebraço. A falta de autoapoio suficiente para afiançar as nossas ações faz com que busquemos nos outros o aval para continuarmos agindo daquela maneira.

Para esses padrões de pensamento chegarem a ponto de atrair um acidente e consequente fratura, é necessário que haja um conflito emocional. Melhor dizendo, ao mesmo tempo em que recorremos ao outro em busca de soluções, nos condenamos por esse gesto de fraqueza ou de dependência. Ou mesmo, buscamos aprovação quando sabemos que estamos no caminho. Por outro lado, se o fizermos sem angústias, compreendendo ser esse o melhor caminho a seguir, ou como uma forma de usufruir do retorno das nossas dedicações, não existirão conflitos, tornando-se saudáveis esses movimentos. Consequentemente, eles não gerarão quaisquer abalos físicos ou emocionais.

MÃO

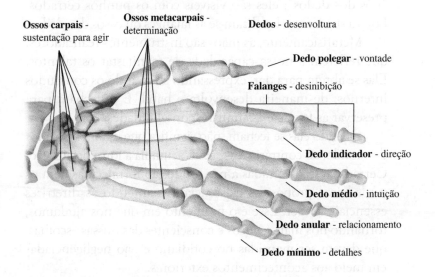

Ossos carpais - sustentação para agir

Ossos metacarpais - determinação

Dedos - desenvoltura

Dedo polegar - vontade

Falanges - desinibição

Dedo indicador - direção

Dedo médio - intuição

Dedo anular - relacionamento

Dedo mínimo - detalhes

53

MÃOS

Alavancas realizadoras.

Próximo ao punho, localizam-se os ossos denominados carpais. Eles são formados por oito pequenos ossos. Nas palmas das mãos, regiões consideradas intermediárias, ficam os cinco ossos denominados metacarpais. Nas extremidades de cada um dos cinco ossos metacarpais existem saliências denominadas "nós dos dedos"; eles são visíveis com os punhos cerrados. Logo à sua frente, localizam-se as falanges ou ossos dos dedos.

Metafisicamente, as mãos são instrumentos realizadores, que refletem a nossa capacidade de manifestar os talentos. Elas se abrem para dar, expressando ao mundo os conteúdos internos, de maneira desenvolta e hábil. E se fecham para preservar as forças e assumir responsabilidades.

Quando elas se fecham, não significa que estamos isolados do mundo, ao contrário, esse gesto acumula a força de atuação. Cerradas, estão voltadas a nós, onde são fortalecidas com os verdadeiros propósitos existenciais, mantendo as diretrizes essenciais do Ser. Esse é o momento em que nos ajudamos, tornando-nos mais seguros e conscientes das nossas escolhas, que devem ser mantidas no cotidiano e não negligenciadas em meio aos acontecimentos exteriores.

Abertas, as mãos expressam a nossa melhor parte. Ao manusear os episódios do cotidiano, nos aproximam dos eventos exteriores, fortalecendo a capacidade realizadora. Elas representam os membros do corpo que mais se relacionam com a atitude de efetivação e concretização das tarefas, promovendo a interação com o ambiente.

Por intermédio delas, expressamos nossos desejos de alcançar os objetivos, tornando o meio em que vivemos uma extensão do Ser. Elas são espécies de instrumentos alquímicos, que plasmam os nossos anseios no ambiente externo.

Ainda que as ocorrências não sejam condizentes com os desejos, não raro existem possibilidades de transformar as perspectivas em eventos agradáveis. Para tanto, faz-se necessário aceitar o que se passa e, em seguida, procurar os meios e agir oportunamente.

O que mais conta não é exatamente o que nos acontece, mas o que fazemos com esses episódios. Podemos tanto aceitá-los, elaborando o desencadeamento do processo, quanto recusá-los com revolta ou indignação.

A aceitação faz com que, mesmo diante das turbulências exteriores, não fiquemos abalados a ponto de entrar em desespero e abrir mão dos nossos planos. Já a autodesaprovação poderá provocar indignações em relação às ocorrências desastrosas.

A pior maneira de encarar as adversidades é com revolta; esse sentimento corrói a capacidade realizadora, dificultando o alcance dos objetivos. De nada adianta ficarmos remoendo os fatos desagradáveis, quando podemos agir com assertividade para minimizar os reflexos negativos.

Independentes de como reagimos aos eventos exteriores, as mãos são agentes de integração com o mundo. Além das transformações externas, elas aprimoram os potenciais latentes no Ser, transformando nossos talentos em habilidades funcionais.

CARACTERÍSTICAS DAS MÃOS

Estilo de atuação.

Algumas características ou eventos das mãos indicam certos sentimentos, mediante tarefas, bem como o estilo de manusear as atividades.

Mãos frias são sinais de nervosismo, geralmente causado pelo extremo rigor com que desejamos executar as tarefas. Assustados com as exigências das situações externas, voltamos para dentro de nós com o objetivo de nos programar melhor e assim evitar que algo dê errado. Ficamos mais tempo planejando do que empenhados na execução propriamente dita. Isso nos distancia do ambiente exterior, onde precisamos atuar. O rigor excessivo na seleção das atividades a serem desempenhadas e as frequentes recusas de tarefas, bem como a falta de empolgação em relação ao que precisa ser feito, são componentes emocionais que podem causar o resfriamento exagerado das mãos.

Mãos quentes representam entusiasmo e motivação para realizar as tarefas. São pessoas colaboradoras e prestativas, que se dedicam às atividades com disposição e força de vontade. Não medem esforços para colaborar, tampouco fazem "corpo mole" diante dos afazeres, por mais exaustivos que sejam.

Suor excessivo nas mãos está associado ao receio na atuação. Medo de fazer algo errado ou preocupação excessiva que aconteça algo ruim. A pessoa fica extremamente apreensiva quando vai realizar algo, temendo a repercussão das suas ações. Não se trata apenas do desejo de que tudo acabe bem, mas principalmente da repercussão dos seus gestos, inclusive das opiniões dos outros em relação ao seu desempenho.

Durante o planejamento que precede as ações, as pessoas sentem-se relativamente bem. No entanto, o maior abalo emocional ocorre no exato momento da execução das atividades. Mãos ossudas revelam segurança e consistência interior. São pessoas confiantes, de fibra, que não se abalam facilmente; vão até o fim naquilo que se propõe a realizar.

Mãos carnudas são típicas de pessoas racionais e com boa capacidade de criar estratégias, mas não são tão hábeis para pôr em prática seus planos. Pensam muito antes de realizar algo. Demonstram também tendências à obesidade.

Problemas nas mãos, no âmbito da metafísica da saúde, representam a dificuldade de expor os talentos e as habilidades. Sentimos que podemos fazer melhor do que estamos manifestando, para mudar o curso da situação; no entanto resistimos ou somos intransigentes em relação àquilo que foge ao previsto. Apegamo-nos às dificuldades exteriores ou aos impedimentos provenientes dos outros e, com isso, contemos a nossa desenvoltura.

Lidamos com a participação alheia de maneira conflituosa. As pessoas querem colaborar e, de alguma forma, esses gestos nos causam desconfortos. Mesmo agradecidos, ficamos incomodados ao receber ajuda.

Quando machucamos as mãos, é porque, metafisicamente, ou nos ferimos com o tipo de ajuda que estamos recebendo, ou pode ser também por causa dos acontecimentos que se desenrolam contrariamente ao nosso ritmo, seja acelerado demais, seja extremamente moroso.

Faz-se necessário sermos mais flexíveis com a dinâmica dos eventos e buscarmos certo equilíbrio, de maneira adaptativa, para não vivermos em conflito. Em vez de mudarmos o ritmo exterior, dediquemo-nos a reformular o jeito de atuar, seja baixando a ansiedade e dando o tempo necessário, seja intensificando a realização das atividades, tornando-nos mais rápidos, para acompanhar o movimento do processo. Em relação aos outros, devemos adotar o espírito de colaboração e não de competição, aceitando de bom grado a contribuição alheia, que soma força para a execução das atividades.

DEDOS
Desenvoltura na realização das atividades.

Os cinco dedos de cada mão são compostos de catorze falanges, pequenos ossos localizados nas pontas dos dedos. O polegar possui duas falanges, enquanto os outros quatro dedos têm três falanges cada; são eles: indicador, médio, anular e mínimo.

No âmbito da metafísica da saúde, os dedos representam a nossa desenvoltura para destrinchar os afazeres com leveza e suavidade nas ações.

Desenvolvemos o que nos compete sem complicações. O manuseio por si é harmônico. Orquestramos as ações, transformando as dificuldades em mobilidades. Encaminhamos as atividades de forma a manifestar as nossas vontades. Dedilhamos as tarefas, executando com extraordinário traquejo, de forma a alcançarmos os resultados promissores.

Os dedos estão em constante atividade. Eles palpitam, sinalizam alternativas, apontando direções, fazem afirmações, revelam as nossas escolhas. E mais uma infinidade de ações.

Eles estão entre as partes do corpo que mais se movimentam. Seu ritmo é ditado pela mente, levando para o meio externo os lampejos psíquicos. Os pensamentos são tão velozes, que é difícil coordenar tudo o que se passa na cabeça. Pensamos numa infinidade de coisas, trazendo para fora uma pequena parte dessa imensidão mental. Assim, manifestamos no ambiente os componentes internos, transformando desejos em ações.

A influência da mente sobre as situações externas se dá em forma de condutividades energéticas, em que as ondas mentais influenciam o ambiente em que atuamos. Essa intervenção dos pensamentos no meio conta com os dedos das mãos como regiões que expressam a nossa condição interativa. Eles recebem os impulsos psíquicos que percorrem pelos braços, manifestando-se imediatamente nas mãos, orquestrando com os dedos as ações concretas nas circunstâncias da vida.

Os dedos são impulsionados pelos anseios e dirigidos pelo cérebro, tornando-se extensões das nossas vontades, promovendo a interface entre a mente e o ambiente.

Problemas nos dedos, de modo geral, representam conflitos entre os desejos e as possibilidades que o meio oferece. Insistimos em praticar determinadas atividades que contrapõem as condições externas.

Os acidentes que machucam os dedos, sejam de pequena proporção, sejam de grande proporção, representam metafisicamente que, diante da impossibilidade de execução dos nossos desejos, em vez de revermos as estratégias, insistimos em permanecer na contramão dos acontecimentos, gerando elevado desgaste mental e grande irritabilidade. Esse conflito interior pode atrair algum tipo de acidente que fere os dedos. Cada dedo afetado representa determinado conflito ou a área da vida em que se instalou essa problemática, como se verá adiante.

Os problemas crônicos nos dedos são causados por algum tipo de doença, como a artrite reumatoide[4], a disidrose (erupção com pequenas bolhas nos dedos). Metafisicamente refletem as dificuldades internas que inviabilizam a manifestação das vontades. Nesse caso, não são os eventos exteriores que dificultam a manifestação dos desejos, mas a própria pessoa que se atrapalha na execução dos seus objetivos. Ela não assume os seus anseios, faltam atitudes favoráveis aos seus propósitos. Sentimentos como a insegurança, o medo e outros fragilizam os seus potenciais e dificultam a execução no ambiente.

---

4 Saiba mais a respeito, consulte o tema artrite reumatoide na página 174.

Para favorecer a recuperação dos ferimentos nos dedos é necessário que a pessoa seja perspicaz na observação do que se passa ao redor e flexível diante das situações inusitadas, sem comprometer as suas vontades, tanto levando em conta a maneira de agir, procurando o equilíbrio entre as ações e as possibilidades que o meio oferece, quanto considerando os sinais e as tendências; caso sejam desfavoráveis, devemos rever os objetivos.

Pode-se se dizer que o mundo externo norteia o nosso fluxo pela vida, por meio das situações favoráveis ou desfavoráveis. O bom senso durante a execução das tarefas é fundamental, pois existem momentos em que o curso das atividades é modificado. Por outro lado, há certos momentos em que as situações opostas aos nossos anseios exigem persistência no propósito, para fortalecer os ideais.

Será melhor ceder ou insistir? Esse é um dos principais dilemas diante das adversidades. A perspicácia para fazer uma leitura dos eventos externos e notar se eles são impeditivos ou temporários é fundamental na hora de decidir se vamos desistir dos nossos objetivos ou tentar em outra ocasião. Às vezes, basta mudar a maneira de fazer ou adiar a execução da tarefa, que ela se torna possível. Nesse caso, as adversidades visam a ajustar-nos ao momento oportuno, bem como a nos aprimorar e a fortalecer os conteúdos internos.

Porém, quando não há possibilidade de jeito algum, nem mesmo o tempo traz a solução, é melhor revermos as nossas metas e promovermos mudanças de diretrizes, para não vivermos em conflito ou nos agredirmos quando não conseguirmos atingir os objetivos.

Cada dedo representa alguns aspectos da nossa atuação no ambiente ou determinadas competências internas, que favorecem a desenvoltura e dinamismo na manifestação dos nossos propósitos.

DEDO POLEGAR

Expressão da vontade.

É o dedo mais curto da mão, composto por apenas duas falanges (parte óssea dos dedos). Em geral, o seu comprimento atinge a primeira falange do dedo indicador (ao seu lado). No entanto, possui maior mobilidade.

A grande amplitude de movimentos do dedo polegar representa metafisicamente a capacidade de nos impormos na vida e o poder de decisão acerca de uma situação, principalmente no que diz respeito ao tipo de participação, melhor dizendo, ao que vamos fazer e como pretendemos realizar. Para tanto, faz-se necessário a sustentação para assumirmos os nossos pontos de vistas.

O polegar representa a nossa capacidade de expor as opiniões perante os outros, sem nos preocuparmos com os resultados, tampouco com as críticas alheias. Não somos movidos pelas tendências externas, agimos de acordo com a própria vontade. Somos determinados e altivos nas decisões. Fazemos prevalecer os nossos ideais, e, se necessário for, combatemos veementemente as resistências dos outros.

A segurança para decidir e a força para agir são decorrentes das referências internas e do propósito firme; a segurança e a firmeza interiores não podem ser corrompidas pelas fragilidades dos outros ou pelas dificuldades apresentadas pelo meio.

Algumas características do polegar revelam traços ou estilo de tomar decisões e de movimentação da força de vontade, tais como: curto, longo ou largo, curvado ou que se estende para trás.

Polegar curto ou pequeno. Segundo Norber Glas, autor do livro *As mãos revelam o homem*, considera-se pequeno quando o polegar, em comparação com o dedo indicador, não ultrapassa pelo menos a metade da primeira falange do indicador. Essa característica representa um traço de inibição e contenção de poder de decisão.

As pessoas com polegar curto possuem dificuldade para exporem o que decidiram. Elas esperam o momento oportuno para desenvolverem o seu raciocínio. Não são favoráveis à discussão de pontos de vistas. Esperam que os outros expressem suas considerações para somente, e, às vezes, exporem as suas opiniões. Apesar de serem talentosas, suas qualidades dificilmente aparecem, pois não manifestam prontamente o que sentem.

Polegar longo ou largo, segundo Norber Glas, é aquele que, em comparação com o dedo indicador, ultrapassa a metade da primeira falange. As pessoas que têm o polegar longo são mais impulsivas e não reprimem as suas vontades. Esboçam prontamente os seus pontos de vista e se posicionam perante os outros, sem temer os reflexos das suas decisões.

Não se deixam influenciar facilmente. São mais voltadas a si e menos sensíveis aos outros. Possuem boa desenvoltura e são práticas e eficientes. São objetivas e têm clareza quanto ao seu papel na situação. Não se perdem facilmente, sabem exatamente por onde começar, para alcançar os seus objetivos.

Polegar com curvatura mais côncava ou que se estendem para trás. Revelam característica de personalidade das pessoas que são mais voltadas aos outros ou para fora de si, durante suas ações ou na hora de tomar decisões.

Por um lado, são mais flexíveis e maleáveis em relação aos posicionamentos alheios, por outro, possuem certa dificuldade de manterem os seus pontos de vista e agirem contrariamente aos acontecimentos exteriores. Procuram se esquivar de discussões e evitam entrar em choque de opiniões. Preferem adotar a política das boas relações a enaltecer os seus pontos de vista.

Os conflitos mais comuns são internos. Questionam sua maneira de pensar em vez de manifestarem ou defenderem aquilo que tomam como certo.

Problemas no dedo polegar representam, metafisicamente, preocupação excessiva com as opiniões dos outros. A pessoa se sente cercada de impedimentos para realizar os seus intentos e sem apoio dos outros ou condições para dar continuidade aos seus projetos.

Ela sente-se sem espaço para pôr em prática as suas conclusões ou para fazer o que tem vontade, isso causa profunda frustração. Sente-se impotente diante dos obstáculos. Não consegue transpor as adversidades, tampouco ser firme no seu propósito e agir a favor das suas decisões. Fica remoendo a falta de apoio e a pouca chance que o meio oferece, em vez de ser mais fiel às suas concepções internas.

Lembre-se: o mundo pode ser contra, o importante é você estar a favor do mundo.

DEDO INDICADOR
Pensamento e imaginação.

Fortemente ligado ao polegar, realiza movimentos coordenados. Metafisicamente integra a vontade com os pensamentos. O indicador relaciona-se com o poder de escolha, a autoridade e o comando sobre as situações externas.

Para ser assertivo é necessário que a pessoa tenha um sentido de observação apurado, sendo sensível às percepções do ambiente. Essa perspicácia em relação ao que se desenrola em torno dela favorece o senso de direção e a escolha do caminho a seguir.

O indicador é o primeiro dedo acionado no momento de executar as decisões, sinalizando a direção a seguir. Tanto a definição daquilo que pretende realizar quanto a apropriação das suas ideias, bem como a busca das possibilidades para executar os seus intentos, são fatores emocionais influentes sobre o dedo indicador.

Também se relaciona com a atividade dos pensamentos. As nossas reflexões acerca das situações ao redor manifestam-se imediatamente nesse dedo. Ele praticamente sinaliza aquilo que estamos imaginando, tornando-se uma espécie de condutor dos nossos pensamentos.

Problemas no dedo indicador. Os medos e as incertezas em relação à direção tomada podem afetar esse dedo, causando algum tipo de manifestação somática nele. A origem desses processos se dá na mente, seja a interpretação de impedimentos que geram os conflitos de ordem emocional, sejam os pequenos acidentes que afetam esse dedo. Ambos os casos se referem à maneira tumultuada e conflituosa de pensar a respeito do que temos por realizar ou foi executado.

Faz-se necessário atravessar as ocorrências impeditivas ou harmonizar a maneira de pensar a respeito dos episódios existenciais, sem medo de errar. Faz-se necessário apostar nas suas concepções e não hesitar em apontar os novos passos para seguir em frente, rumo ao sucesso e realização pessoal.

DEDO MÉDIO

Percepção extrassensorial e intuição.

Esse dedo ultrapassa em tamanho todos os outros, despontando entre os demais. Representa uma espécie de antena que capta a energia do ambiente e identifica uma situação, antes mesmo que ela aconteça. Trata-se da nossa percepção extrassensorial, que investiga situações que transcendem a realidade dos fatos.

Antes que algo aconteça, existe um campo energético atuando, de forma a reunir as condições favoráveis aos acontecimentos. Tanto os episódios positivos quanto os eventos ruins se configuram no astral do ambiente. Quem possui uma percepção aguçada consegue captar essas tendências e intervir de forma a acelerar os eventos bons ou evitar as situações desastrosas. A intervenção no ambiente com base na sensibilidade extrassensorial se dá por meio de ações que não se justificam pelas condições atuais. Essas intervenções fogem a qualquer regra, trata-se de ações inusitadas, que surpreendem a todos, inclusive a nós mesmos. No entanto, os resultados das ações são promissores.

Os aspectos intuitivos relacionados ao que estamos realizando ou ao que está acontecendo no meio possuem relação metafísica com o dedo médio. Aprender a lidar com a intuição favorece os bons resultados das nossas ações e mantém a saúde do dedo médio.

Quando temos uma intuição, precisamos confiar em nós para tomarmos medidas cabíveis, as quais, não raro, vão na contramão dos acontecimentos. Dificilmente convencemos aqueles que nos rodeiam quanto à necessidade de ousar e agir diferentemente do que estão acostumados. Por isso são necessárias a segurança interna e a confiança nas faculdades paranormais.

Ao agir de acordo com o meio e fazer o óbvio, obtemos resultados comuns à grande maioria das pessoas. Em certos momentos, o que faz a diferença é ser ousado e inovar. Quando percebemos um sinal de problema e agimos de maneira pontual, evitamos o desenrolar dos fatos desagradáveis. Para conseguir essa façanha, precisamos confiar na nossa sensibilidade e sermos guiados pela intuição. Esse procedimento ameaça a credibilidade e as expectativas que os outros depositaram em nós. Pode-se dizer que no caminho da intuição não cabe a vaidade, tampouco o medo de errar.

Faça a seguinte indagação: você quer seguir a sua intuição e ousar para obter resultados diferenciados ou agradar os outros, agindo como esperado? Na segunda hipótese, as suas ações serão balizadas pela tendência do meio e os resultados serão os mesmos, comuns a todos. Essas medidas agradam os outros, mas reprimem a nossa capacidade intuitiva, que daria novos dimensionamentos existenciais. Além dos resultados diferenciados obtidos ao seguir a intuição, essa conduta promove a realização pessoal, a confiança em si e eleva a autoestima.

Problemas no dedo médio, de modo geral, relacionam-se com os conflitos causados pela percepção de certas verdades, que se contrapõem aos nossos anseios. Captamos impedimentos ou surpresas desagradáveis, as quais, se forem confirmadas, provocariam grandes decepções, com situações ou pessoas estimadas.

Por outro lado, também podem estar relacionados com o inconformismo por não termos usado a intuição e agido de maneira a evitar os eventos desagradáveis que sucederam. Ficamos com raiva porque tínhamos captado que algo sairia errado, mas não agimos de maneira a evitar esses transtornos.

Para amenizar os sintomas, faz-se necessário ser mais compreensivo consigo mesmo e levar em consideração os próprios limites. Perdoar-se por ter desconsiderado a intuição e insistido na situação, chegando às últimas consequências. Pelo menos, esgotaram-se as tentativas de manter o apreço aos outros ou de conseguir o que almejamos.

A intuição encurta os caminhos das experiências. No entanto, existem certas situações em que a nossa predileção não quer o desfecho intuído durante os eventos. Tentamos, sem sucesso, evitar o inevitável. Acatar a intuição evita transtornos exagerados e acelera o processo, colocando-nos na direção da verdade.

DEDO ANULAR

Compromisso e relacionamento.

O dedo anular corresponde aos aspectos afetivos e às relações amorosas. Ele manifesta os sentimentos mais profundos presentes nos gestos, que são a forma delicada e carinhosa com que nos expressamos perante as pessoas amadas. A presença dos sentimentos de amor promove os laços afetivos, estabelecendo os relacionamentos duradouros.

Ao assumir uma relação, usamos uma aliança nesse dedo, estabelecendo o compromisso com quem nutrimos profundos sentimentos. O uso da aliança é uma forma de comunicar a todos que fizemos a nossa escolha amorosa. Podemos colocar afeto nas nossas ações sem a conotação de conquista ou de segundas intenções, permitindo expressar-nos amorosamente, respeitando os limites da vida afetiva de cada um.

O uso de metal no corpo, como a aliança, os anéis e outros, possui diferentes interpretações. De acordo com a cultura, o metal tem uma simbologia. Por um lado, ele representa uma forma de contenção de energia, que barra o fluxo dos potenciais pertinentes ao local do corpo usado. Por outro lado, existem várias tradições culturais de povos que dão conotações contrárias, atribuindo ao uso do metal uma forma de destaque e de valorização do local do corpo em que é colocado. Ele representa a força de conquista e a evidência dos aspectos pertinentes à área utilizada.

O uso do metal não é imposto de forma punitiva nas sociedades, ao contrário, ele representa uma forma de comunicação social de conquistas e de status no grupo. Geralmente o metal usado para esse fim é o ouro; além de enaltecer-se com o valor desse metal precioso, sua presença reforça o significado de elevação e de exuberância no seu uso. A coroa do rei, por exemplo, transmite o seu poder; a medalha no peito do atleta, as suas vitórias; a condecoração, motivos de honra; a aliança para os casais, a conquista de uma relação saudável. De modo geral, o uso de anéis e de alianças é razão de orgulho e de satisfação. Esse gesto acentua as qualidades relacionadas ao dedo da mão. No caso da aliança no anular, representa a conquista de uma relação estável, seguida do desejo de comunicar isso a todos de forma não-verbal. O fato de a pessoa não estar feliz nesse relacionamento não está associado ao uso da aliança, mas, sim, à sua dificuldade de se soltar perante o grupo, quando se encontra comprometida. Ela não se sente livre, pois se aprisiona numa condição, que, para um grande número de pessoas, seria motivo de liberdade. Quantas pessoas não saem de casa ou evitam frequentar grupos por se sentirem constrangidas por estarem sozinhas. Para elas, uma relação estável seria motivo de prisão perante o seu grupo.

A questão central não é o que você usa no corpo, mas como se sente na situação pertinente à colocação de determinado metal. O mais importante, à luz da metafísica da saúde, não é o que você usa ou deixa de usar, mas, sim, o que sente pela pessoa com quem se relaciona. O maior carinho não vem da aliança, mas, sim, do afeto pela pessoa amada.

Pode-se dizer que os anéis e a aliança são referências para os outros; sob o entendimento da metafísica da saúde, é mais importante o que você carrega dentro de si acerca das suas conquistas. No tocante à aliança no dedo anular, ela simboliza o sentimento que você tem no "peito" pela pessoa com quem se relaciona e o quanto se sente solto para se manifestar no seu meio, principalmente perante a pessoa amada.

Problemas no dedo anular representam algum tipo de conflito no relacionamento. Pequenos abalos emocionais com a pessoa amada, que comprometem a desenvoltura no meio.

Ferimentos e outras afecções nesse dedo ocorrem quando certo grau de tristeza invade o nosso coração. Seja ela causada por algum tipo de decepção ou descontentamento com a pessoa amada, seja pela carência e sentimento de abandono.

Esse abalo emocional pode ocorrer não só nos relacionamentos amorosos, mas também com amigos, familiares e outras relações que estabelecemos na vida. As surpresas desagradáveis e decepções podem ser decorrentes desses vínculos, ocasionando afecções no anular.

Não se deixar abater pelas adversidades do cotidiano e saber integrar as diferenças, mediando os conflitos com quem nos relacionamos, além de poupar desconfortos, evita aborrecimentos desnecessários e consequentes ferimentos no dedo anular.

DEDO MÍNIMO

Atenção aos detalhes.

É o dedo que expressa a nossa relação com os detalhes da situação, contribuindo para a nossa boa desenvoltura no ambiente. Os pormenores devem ser considerados, pois eles manifestam os meios pelos quais são norteados os caminhos para atingir os objetivos. Apesar da pouca proporção, não devemos desqualificar as minúcias, pois elas são reveladoras. Se observarmos as situações atentamente, descobrimos sua direção ou verdades. Os detalhes revelam muito a respeito dos acontecimentos.

Quando descobrimos uma verdade que se mostra diferente do que imaginávamos, ao nos relembrarmos das situações que precederam o ocorrido, notamos a presença dos detalhes e o quanto eles eram reveladores da verdade que veio à tona. Por não termos dado valor aos detalhes, alimentamos ilusões, deixando a situação ir longe demais. Estendemos uma inverdade e nos iludimos ou permitimos que as circunstâncias fujam do nosso controle.

O dedo mínimo representa a nossa capacidade de observar os pormenores, no sentido de averiguar todo o conjunto da situação e o encaminhamento dos eventos. Essa perspicácia favorece a descoberta da realidade dos fatos por meio de colocações sutis. Se formos atentos a elas, evitamos os grandes transtornos.

A devida atenção dispensada aos detalhes possibilita melhor compreensão do fenômeno e evita que se deixe escapar aspectos reveladores, presentes nas minúcias. A identificação desses pontos não requer medidas duras e imediatas, mas, sim, a combinação das peças do grande "quebra-cabeça" que revela toda a situação que vivenciamos, inclusive com as pessoas que participam da nossa vida. O esclarecimento de fatos irrelevantes poderá ser de grande proveito na avaliação do mérito das questões.

A dica metafísica relacionada ao dedo mínimo é: para não ter surpresas desagradáveis, fique atento aos detalhes.

O dedo mínimo relaciona-se também com a administração dos impulsos e a contenção da impetuosidade para favorecer a interação harmoniosa com o ambiente, até mesmo por se tratar da identificação das particularidades dos acontecimentos ou das pessoas. Esses são fatores que não requerem intensa manifestação. Não precisamos ser veementes nas respostas dadas à proporção dos eventos, basta averiguarmos melhor o que foi dito ou algum detalhe da situação; não precisamos pôr fim à questão. Assim sendo, a nossa impulsividade é desnecessária diante das minúcias.

Problemas no dedo mínimo representam metafisicamente ater-se aos detalhes de forma a comprometer o desempenho.

Como visto anteriormente, as minúcias são relevantes, pois podem sinalizar tendências contrárias aos objetivos, exigindo cautela. Até certo ponto, agir com prudência evita prejuízos futuros.

No entanto, apegar-se aos detalhes ou exagerá-los, enxergando problema onde não existe, é perturbar-se com aspectos que não eram para causar tantos aborrecimentos. Trata-se de muita indignação para pouca proporção de fenômenos, isso gera ferimentos desnecessários, prejudicando a expressão das qualidades.

A força realizadora e os nossos anseios são maiores do que as circunstâncias momentâneas. Limitar-se às particularidades e comprometer os nossos objetivos geram conflitos e constantes incômodos.

Aprenda a lidar com os seus potenciais, não disperse energia com os eventos que não contribuem para o andamento dos objetivos. Olhe para onde há sinais proveitosos e não perca tempo com eventos de pequena proporção, que não levam a nada, apenas adormecem os seus potenciais.

OSSOS DO QUADRIL

Autoapoio e autovalor.

Embora os ossos do quadril atuem como um só, eles são constituídos de três ossos: ílio (é o maior componente do quadril); ísquio (compõe a parte de trás da região inferior); púbis, também chamado de osso púbico (é a parte da frente da região inferior do osso do quadril). Em conjunto com os ossos da coluna (sacro e cóccix) constituem uma estrutura em forma de bacia, denominada pelve. A pelve óssea fornece um suporte estável e resistente para a coluna vertebral e para os órgãos pélvicos e abdominais inferiores.

No âmbito da metafísica da saúde, os ossos do quadril representam a habilidade para sustentar os seus próprios objetivos, aliando os desejos com as vontades, no sentido de superar as adversidades do meio externo. Posicionar-se integralmente a favor de si e valorizar os potenciais internos.

Com tantos atributos do Ser, superamos os contratempos do cotidiano sem nos abalarmos com as circunstâncias desfavoráveis.

A mobilização desses recursos internos influencia as pessoas a nossa volta. Quanto mais nos valorizamos, maior é a influência exercida sobre os mais próximos e os entes queridos. O reconhecimento por parte daqueles que convivem conosco revela quão profundo é o autorrespeito e o autovalor. Geralmente nos queixamos da falta de consideração aos nossos talentos, quando, na verdade, a desconsideração é nossa. Não admiramos aquilo que executamos e, não raro, desqualificamos as nossas obras. Somente seremos valorizados pelos mais próximos quando desenvolvermos o autoapreço.

Por outro lado, se não consideramos os talentos e nos desvalorizamos, conseguiremos angariar algum reconhecimento por parte daqueles que estão distantes e não nos acompanham de perto. Pode-se dizer que é mais fácil ser valorizado pelas pessoas distantes do que por aqueles que convivem conosco.

Outra razão para a pouca valorização pelas pessoas do convívio reside na imagem que eles têm a nosso respeito. A repetição de hábitos e costumes ao longo da convivência definiu nossa imagem, que ficou estigmatizada e dificilmente é alterada. Não é comum os mais próximos considerarem os nossos avanços. É mais fácil o reconhecimento vir de um estranho do que de alguém próximo a nós.

Para ilustrar essa questão, existe um pensamento do dramaturgo irlandês George Bernard Shaw (ganhador do prêmio Nobel de Literatura em 1925): "De todos os homens que conheço o mais sensato é o meu alfaiate. Cada vez que vou a ele, toma novamente as minhas medidas. Quanto aos outros, tomam a medida apenas uma vez e pensam que seu julgamento é sempre do meu tamanho".

É difícil apagar uma impressão transmitida aos outros. Por mais que reformulemos as nossas condutas, permanece o estigma do passado. Porém, isso não pode parar o nosso desenvolvimento e nos engessar ao modelo de outrora. Estamos sempre em transformação. Não podemos depender da aprovação dos outros. Devemos ser a fonte de avaliação do progresso interior e dos resultados exteriores. Só assim vamos alcançar novas etapas existenciais e nos sentir realizados, tanto com as conquistas materiais quanto com o aprimoramento pessoal.

Problema no quadril, fisiologicamente, qualquer alteração nessa região afeta diretamente a mobilidade do corpo.

Metafisicamente reflete os conflitos gerados principalmente pela imagem a nosso respeito, que foi formada e agora tentamos transformá-la. Esse movimento gera conflito entre o estigma que os outros fizeram e a nossa vontade de inovar, de tentar novos procedimentos para obter resultados diferenciados.

Esses conflitos são gerados principalmente por buscarmos primeiro convencer as pessoas de que estamos certos em agir de forma diferente para depois pôr em prática nossos projetos. Essa relação se torna uma espécie de cabo de guerra, os entes queridos, insistindo que não temos competência, e nós, com os melhores argumentos a respeito da nova empreitada.

Para mudar o cenário precisamos ousar, pôr em prática nossas ideias e parar com as desavenças, que não levam a resultados promissores, ao contrário, desgastam nossas forças; e precisamos delas para a implantação dos novos projetos.

Obviamente necessitamos trocar experiências e ter outras visões a respeito dos nossos planos. Essa troca de experiência não pode vir carregada do modelo do passado, que deixou marcas profundas nas pessoas do convívio a respeito de como fazíamos. A verdade é que aprendemos com os tropeços, cansamos de ficar na zona de conforto, esperando ajuda e deixando que os outros façam por nós. Renovamos o nosso desempenho, mas não trocamos a imagem que os outros têm a nosso respeito, apenas com especulações de atuações que não se consolidaram.

Busque fora as diretrizes para o seu projeto e até mesmo longe, com pessoas que não vão nos avaliar pelo que éramos no passado, mas, sim, pelo potencial que está nascendo e merece uma chance para se manifestar. Sobretudo devemos ser o maior incentivador dos nossos próprios projetos. São eles que despertam o gigante que habita dentro de nós.

FÊMUR

Bases de apoio familiar.

O fêmur ou osso da coxa é o mais longo e o mais pesado do corpo. Sua extremidade superior consiste numa cabeça arredondada, que se articula com o osso do quadril. O ângulo que direciona a extremidade é maior nas mulheres, porque a pelve feminina é mais larga. A extremidade inferior fixa os ligamentos e as articulações dos joelhos.

No âmbito da metafísica da saúde, refere-se à base de apoio e sustentação emocional. Geralmente, ao nos referirmos às pernas, as associamos ao apoio e à segurança; essa relação está diretamente relacionada com a coxa, cujo osso é o fêmur.

O autoapoio é uma condição interna alimentada principalmente pela estrutura familiar, que nos ancora na realidade e apresenta os caminhos existenciais. Essas bases são significativas para a constituição emocional, que fortalece a segurança. Quando a família apoia, ela autentica a firmeza interior. A pessoa vai para a vida com maior consistência interna. Sente-se livre para realizar as suas tarefas, age com firmeza e independência, imprimindo vontade e determinação nas suas obras.

Porém, esse não é um fator determinante, mas, sim, o que a pessoa internaliza dos eventos exteriores e principalmente o que ela faz com o que recebe dos entes queridos. A fonte interior é inesgotável e oferece suprimentos emocionais que se sobrepõem à ausência de conteúdos provenientes do meio.

Ainda que o ambiente não tenha suprido as suas demandas emocionais, de alguma forma, houve benefícios. Pode ter sido aquém das suas expectativas, mas, de alguma forma, representou uma referência que deu o norte do caminho a seguir. Isso foi o que compôs a sua bagagem emocional. Muitas situações foram vivenciadas durante a trajetória de vida, que ofereceram conteúdos para ampliar a bagagem interior. Com todas essas experiências é incabível permanecer desprovido emocionalmente; ou, pior, com um fardo pesado por trazer os resultados negativos, abandonando os componentes positivos dos caminhos por onde se passou.

Caso a pessoa não tenha recebido apoio dos entes queridos ou não se supriu de outros conteúdos e também se rejeitou, permanecendo carente, essa defasagem emocional pode gerar dois sentimentos: a revolta ou a necessidade de aprovação dos outros. No primeiro, a revolta, a pessoa se torna intolerante ou vingativa, dificultando ainda mais receber o que ela busca. No segundo, a necessidade de aprovação levará à extrema solicitude; a pessoa faz tudo para agradar, não mede esforços para ajudar, prejudica-se para favorecer os outros.

Em meio a esses exageros, cabe a seguinte indagação: você quer receber o quê? Está buscando nos outros o que não recebeu no passado? Esse é um momento oportuno para compreender que as pessoas que foram negligentes no passado, não tinham o que você esperava delas. Por algum motivo, elas não lhe proporcionaram esse benefício. Mesmo assim, você continuou buscando fora, mas não se dedicou a proporcionar a si mesmo o que não recebeu dos outros.

Assuma a sua condição interna e não dependa da aprovação de fora para se preencher com aquilo de que você próprio não foi capaz de produzir para si. Não recorra à chantagem, nem se comporte como sofredor. Ninguém é vítima, só se for de si mesmo. Nesse caso, comece a se cuidar e se preencher com os atributos que lhes são próprios. Para se suprir faz-se necessário considerar cada passo dado na vida e celebrar as metas alcançadas; sentir-se um vencedor. Seja qual for o seu progresso, homenageie a si, pois você é um vitorioso só por não ter desistido. Isso já o torna uma grande pessoa.

O osso femoral representa praticamente o centro da marcha, existe uma espécie de regulador, que nos situa no presente e nos conecta com o ambiente.

Focar a percepção nessa parte do corpo favorece a conexão com o presente e nos situa na realidade. Nesse momento, as sensações se acentuam, trazendo os próprios conteúdos à luz da consciência. O equilíbrio funcional do corpo é restabelecido com uma força inteligente, regida pelas nossas qualidades integradas com a realidade em que vivemos.

TÍBIA E FÍBULA

Firmeza para seguir em frente.

São importantes ossos de sustentação do peso do corpo. Estendem-se das articulações do joelho ao tornozelo. A tíbia é o maior osso da parte inferior da perna, também é conhecida como "canela". A fíbula é o osso menor, que ajuda a estabilizar as articulações dos joelhos, está localizada ao lado da tíbia.

Apesar de constituir a parte mais fina da perna, é composta por dois ossos com consistência suficiente para sustentar o peso do corpo e conduzir a marcha. Realizam os movimentos mais expressivos da caminhada. Essa mobilidade não é exatamente da canela, mas, sim, das articulações localizadas nas extremidades, principalmente do joelho, que se inclina para trás, num ato de recuo para, em seguida, impulsionar-se para a frente, realizando, assim, os movimentos de avanço da perna.

Metafisicamente, essa parte do corpo representa a consistência emocional, fortalecida nas experiências anteriores, que alimentaram a confiança em si para seguir em frente. São ossos que refletem a firmeza necessária para corresponder aos desafios dos caminhos existenciais.

Diante dos rumos que a vida toma, é mister a segurança interna para não esmorecer com as exigências do meio. A mobilidade deve ser acompanhada do poder e da força de atuação. Esse estado proporcionará a confiança e a certeza de que nenhum desafio supera a nossa determinação de seguir em frente e de fazer o que estiver ao nosso alcance para sermos bem-sucedidos na trajetória existencial.

PÉ

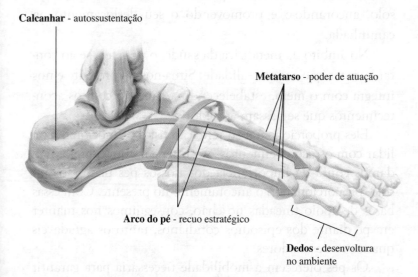

Calcanhar - autossustentação

Metatarso - poder de atuação

Arco do pé - recuo estratégico

Dedos - desenvoltura no ambiente

PÉ

Contato com a realidade.

O pé é formado por 26 ossos, que são mais compactos do que os das mãos porque sustentam o peso do corpo. São eles: sete tarsais, localizados nas regiões do tornozelo (sendo um deles o calcâneo — osso do calcanhar, que é o maior e o mais forte); cinco metatarsos; catorze falanges dos dedos.

Essas estruturas ósseas permitem o apoio do corpo no solo, ancorando-o e promovendo o seu deslocamento na caminhada.

No âmbito da metafísica da saúde, o pé refere-se ao contato e interação com a realidade. Situa-nos no presente e nos integra com o meio, estabelecendo a conexão com os acontecimentos que se passam ao redor.

Eles proporcionam a sustentação física e emocional para lidar com os acontecimentos. Ao interagir com o meio, não damos conta da importância dos nossos pés plantados no solo, proporcionando o ancoramento no presente. Com essas bases de apoio fincadas no chão, conseguimos nos manter em pé diante dos episódios cotidianos, tanto os agradáveis quanto os desafiadores.

Os pés oferecem a mobilidade necessária para garantir nossa desenvoltura no meio. Lidamos com a realidade usando as nossas faculdades intelectuais, visuais, manuais e outras. Elas se destacam na interação como o ambiente; ficamos atentos e ligados visualmente em tudo o que se passa ao redor; atuamos de maneira precisa na execução das tarefas para as quais somos convocados.

Enquanto utilizamos os nossos recursos interativos, os pés estão plantados no solo e se movem de maneira a oferecer o melhor posicionamento, para manifestar os talentos integradores.

Não fossem os pés, não conseguiríamos permanecer diante dos eventos, numa condição de igualdade com as pessoas que compartilham os mesmos acontecimentos; tampouco lidaríamos frente a frente com as ocorrências do ambiente.

Dores nos pés. São provocadas por diversas condições físicas, tais como: facite plantar; esporão calcâneo; tendinite de Aquiles e outras; conforme descritas nesta obra. De modo geral, referem-se à dificuldade de interação com a realidade e à maneira sofrida de encarar os acontecimentos. A falta de habilidade para lidar com as situações presentes se deve, em grande parte, à forma como nos colocamos diante das circunstâncias cotidianas. Para cada doença há um componente interno causador dos sintomas, conforme descrito nos referidos temas mais a frente.

CALCANHAR

Base de sustentação interna diante da realidade.

O calcanhar desempenha importante função no suporte da carga corporal. É a primeira parte do corpo a tocar no chão durante a marcha. Localizado na parte de trás do pé, ele é formado pelo osso calcâneo, que é o maior e o mais forte osso do pé.

O calcanhar representa metafisicamente a base de sustentação interna; o apoio em si durante a manifestação no ambiente. Ele permite o ancoramento que nos situa na realidade, colocando-nos em contato com os episódios do cotidiano.

Diante dos desafios existenciais, precisamos acreditar nos nossos recursos internos, como a força e determinação para enfrentar as adversidades e superar os desafios. A autorreferência proporciona apoio para agir, sem esmorecer perante os obstáculos.

Antes de nos lançarmos aos desafios existenciais, é importante sentirmo-nos confortáveis e seguros emocionalmente. Assim, estabelecemos uma boa integração com o meio, de forma que nada nos assusta, tampouco apavora. Apoiamo-nos na realidade de maneira agradável, como se pousássemos confortavelmente no presente, sem perder a determinação e a ousadia.

Tendão calcâneo, também conhecido como tendão de Aquiles, está localizado no calcanhar. Sua função consiste em manter o equilíbrio estático do corpo, transmitindo a força gerada pela musculatura da perna para o pé, possibilitando caminhar, correr e saltar.

Fisiologicamente, tendão é um cordão de tecido muscular, altamente resistente, que fixa o músculo ao osso. O tendão calcâneo (de Aquiles) fixa os músculos da panturrilha, localizada na parte inferior e de trás da perna, ao osso do calcanhar.

Representa a nossa confiança na capacidade de seguir em frente e superar os obstáculos que eventualmente venham a surgir no caminho. Habilidade de administrar as adversidades e obter os melhores resultados na trajetória existencial.

Faz-se necessário confiar mais na própria força do que nas possibilidades de insucesso. Fortalecer a certeza de que a vida conspira a nosso favor e de que somos merecedores dos bons resultados. Convictos dessa parceria com a natureza, podemos ser mais ousados e destemidos na hora de lançar novos desafios ou assumir novas empreitadas.

Problema no tendão de Aquiles. Dentre os principais problemas, destaca-se a tendinite[5] de Aquiles, trata-se de um processo inflamatório e doloroso, geralmente causado pelo excesso de atividades, lesões e outros.

No âmbito da metafísica da saúde, representa o medo de não se conseguir dar conta das incumbências futuras, falta de segurança em relação aos compromissos assumidos. A pessoa encara-os como se fossem além das condições momentâneas, representando um grande salto, causando medo de não dar certo.

Vale lembrar que as disponibilidades atuais não são parâmetros para avaliar os futuros alcances. À medida que ousamos, ampliamos a nossa capacidade de conquista. Obviamente os resultados serão diferentes e a disponibilidade será outra, podendo facilmente atingir o nível prospectado para o futuro.

Um agravante interno dessa condição é o excesso de responsabilidade empregado nas perspectivas futuras. Esse elevado grau de exigências para consigo mesmo em relação

---

5 Leia também sobre a tendinite no volume 3 desta série, na página 132.

aos novos projetos interfere negativamente na hora de assumir novas empreitadas de vida ou outras condições de relacionamentos com as pessoas queridas.

As estruturas internas de crenças e valores quanto à maneira de conduzir os processos não são condizentes com os novos rumos. É necessário rever as condutas e adotar maneiras mais condizentes com a realidade atual, que sejam mais apropriadas às prospecções de futuro. Quando saímos da zona de conforto, que nos mantinha acomodados nas situações que se repetiam, mas não ampliavam os horizontes, surgem outras demandas que não se adequariam aos velhos padrões de comportamento.

As mudanças externas exigem inovações internas. É preciso rever os componentes interiores e reformular alguns deles, enquanto promovemos as mudanças, para não entrarmos em choque e comprometermos a nossa segurança e confiança nos resultados almejados.

Acredite mais em si e alie-se a forças naturais que intercedem ao seu favor. Pense: você somente se comprometerá com o que for capaz de cumprir. Caso contrário, não teria sido uma escolha, mas, sim, obrigações impostas, sem o direito de escolha. Quando participamos das negociações, opinando sobre os critérios com que serão encaminhados novos rumos, contamos com a estrutura interna para viabilizar os meios para cumprir com os compromissos.

ESPORÃO DE CALCÂNEO

Ferir-se com os sofrimentos alheios.

Doença causada pelo crescimento anormal de uma parte do osso do calcanhar. Forma uma protuberância, geralmente na sola do pé, provocando dor ao caminhar. O esporão pode surgir também na parte de trás do pé.

Refere-se aos abalos sofridos pelas situações do ambiente, as quais não se pode mudar, tampouco evitar o contato, em virtude do convívio diário. Tais eventos provocam sentimentos mistos de culpa e/ou piedade. A pessoa se vê impotente diante das condições inevitáveis de alguém do seu convívio. Por mais que ela se esforce, não consegue mudar as condições do outro.

A impotência diante dos sofrimentos alheios causa profundos abalos emocionais. É como se os fatos que estão a sua volta fossem "lanças perfurantes", a penetrarem o seu ser a cada contato com a difícil realidade do outro. Seus lamentos não são suficientes para mudar as condições daquele que sofre do seu lado.

De modo geral, a dor no calcanhar refere-se à incapacidade de intervir na realidade sofrida, tanto a sua própria quanto as dores e erros cometidos pelos outros. O fato de não haver nada que se possa fazer gera angústia e indignação.

Muitas vezes a nossa posição ante o sofrimento alheio é a de espectador, pouco se pode fazer a não ser acolher, ser solidário e atencioso. Raramente podemos participar ativamente, no sentido de eliminar os sofrimentos daqueles a quem queremos bem. Somos limitados para agir na vida dos outros ou mudar os seus comportamentos; por mais próximos que eles sejam de nós, não somos responsáveis pelos seus sofrimentos e desacertos.

Devemos acreditar nos processos existenciais, na intervenção positiva do universo e do tempo. Essas forças naturais regem as nossas vidas e resolvem as questões mais difíceis do convívio. Revoltas e queixas não amenizam os sofrimentos, ao contrário, elas corroem a capacidade de transformar a realidade, de minimizar as turbulências e de manter o bem-estar.

PLANTA OU SOLA DO PÉ

Aceitação da realidade

Essa região do meio do pé é sustentada pelos cinco ossos metatarsais e composta por tendões e ligamentos. Localizada na parte inferior, toca o chão, estendendo-se ao pisar.

No âmbito da metafísica da saúde, refere-se à percepção do ambiente e à aproximação com os acontecimentos. Corresponde à capacidade de sentir e de se envolver com as circunstâncias do meio, bem como de se situar na realidade e admitir os fatos sem negá-los, ou, ainda, se opor prontamente aos episódios inesperados.

A saúde dessa área do pé consiste em promover boa interação com o ambiente, ser receptivo e, ao mesmo tempo, atuante. Em se tratando das situações da nossa alçada, atuar prontamente. Já nas questões de competência exclusiva dos outros, manter certa distância; envolver-se, mas não interferir no processo.

ARCO DO PÉ

Interação com a realidade

Os ossos do pé formam dois arcos, sendo um transverso, entre as laterais, e o outro longitudinal, estendendo-se do calcanhar, para a ponta. Eles ajudam a sustentar o peso do corpo, distribuindo-o para todo o pé; também promovem efeito de alavanca, favorecendo a caminhada.

No âmbito da metafísica da saúde, representa a maneira como nos acomodamos na realidade e administramos as nossas vontades, mantendo o interesse em participar das questões pertinentes à nossa realidade. A habilidade de administrar os objetivos conduz às situações ao redor de maneira satisfatória.

É necessário saber esperar o momento apropriado para realizar os intentos, não ser ansioso, tampouco imediatista. Deve-se preservar o seu estilo de atuação no ambiente sem ser contagiado pelas influências externas, a ponto de negar as suas características pessoais.

É aconselhável manter acesa a chama dos seus propósitos; sonhar, mas não se distanciar da realidade, para não mergulhar nas suas ilusões.

PÉ CHATO

Perda das referências internas e falta de ousadia.

O formato do arco do pé é mantido por ligamentos e tendões. No caso do pé chato ou pé plano, ele não tem essa curva no meio; a planta praticamente toca no chão. Isso ocorre em virtude do enfraquecimento dos ligamentos e dos tendões que diminuem, provocando essa queda dos arcos. Ele dificulta a distribuição uniforme do peso do corpo e interfere negativamente na caminhada.

Metafisicamente, a pessoa que tem o pé chato é negligente consigo mesma, ela abandona os seus objetivos e sabota as suas vontades. A negação dos próprios conteúdos compromete a mobilidade existencial da pessoa, que passa a agir por obrigação, responsabilidade ou quaisquer outras questões externas, sem o apreço por aquilo que realiza. Por melhor que sejam os resultados, eles não são satisfatórios, por se tratar de questões pertinentes ao ambiente ou aos outros, que não são condizentes aos mais caros intentos.

As demandas exteriores são mais relevantes do que os fatores internos. As opiniões dos outros pesam mais do que as próprias estratégias. A pessoa que tem pé chato olha mais para o lado do que para ela mesma. Perde as suas referências internas, comprometendo as bases emocionais na hora de agir. Toma por base a visão alheia em vez de manter os seus parâmetros. A sua fonte de vitalidade passa a ser mais externa do que própria.

A perda da autorreferência compromete a sua mobilidade. Ao ficar à mercê das situações externas, sofre influência das intempéries do ambiente e da inconstância dos outros.

Falta a impetuosidade na hora de agir. A pessoa não ousa, tampouco se arrisca a fazer o que ela mesma planejou, dando vazão aos seus sonhos e objetivos. Ao contrário, se acomoda na situação, esperando que os outros arquem com as suas necessidades. Mesmo com todo potencial que possui, não o viabiliza na prática, entregando-se aos marasmos da vida cotidiana.

Procure assumir as suas qualidades e viabilizá-las no ambiente. Seja mais fiel a si, tomando por base as referências internas. Consulte o seu mundo interior antes de agir; averigue a quem mais interessa os seus gestos; a quem você está servindo na vida: a si mesmo ou aos outros.

Lembre-se de que os resultados materiais podem vir do movimento ditado pelos outros, mas a realização pessoal e a satisfação provêm somente de você, quando vêm de dentro para fora e não o contrário. Estabeleça contato com as fontes interiores que o levam para a vida e assuma as "rédeas" de sua existência.

PÉ EM GARRA

Ausência de interação.

O formato do pé em garra é uma condição em que os arcos são extremamente elevados, permanecendo mais distante do chão do que o normal, provocado por deformidades ou atrofias dos músculos e tendões dos pés.

Metafisicamente, as pessoas com pé em garra são mais distantes da realidade e mais suscetíveis às questões do ambiente, em vez de se colocarem diante das adversidades, preferem se recolher e ficar omissas, negligenciando os seus anseios.

Pensam mais nos outros que se encontram em volta do que em si mesmas. Não querem incomodar ninguém, preferem abrir mão dos seus propósitos a causar algum tipo de desconforto aos outros.

As causas metafísicas do pé em garra se assemelham as da facite plantar. Apesar de as condições físicas serem diferentes, as causas emocionais são semelhantes.

FACITE PLANTAR

Fragilidade frente às adversidades.

A facite plantar é uma das causas mais comuns de dor no calcanhar e na sola dos pés. Trata-se de inflamação dos tecidos e dos ligamentos que correm ao longo da planta dos pés, essa região dos pés é denominada: fáscia plantar.

No âmbito da metafísica da saúde, ela se refere à vulnerabilidade da pessoa para lidar com os acontecimentos difíceis do cotidiano. Durante a sua infância, ela não foi preparada para resolver problemas. Tornou-se dependente dos outros e, quando se depara com as adversidades e não tem a quem recorrer, não sabe o que fazer e entra em desespero. Sente-se desprovida de recursos para lidar com as confusões cotidianas.

Ao longo da vida, a pessoa contou com apoio dos entes queridos que a pouparam de todos os riscos. Se por um lado esse apoio foi agradável, por outro a enfraqueceu e a distanciou dos seus recursos internos. O processo existencial é regado de eventos que despertam os talentos. Ao lidar com os obstáculos, uma chama interna de competências é acesa na pessoa, desenvolvendo as habilidades.

Tudo o que acontece no curso da vida se torna providencial; os eventos cotidianos aprimoram conteúdos internos, contribuindo positivamente para sanar algumas necessidades ou superar alguns contratempos que surgirão no caminho. Por isso, não devemos nos acovardar diante dos obstáculos, pois eles representam nutrientes emocionais que nos fortalecem interiormente.

Um comportamento que sabota a construção desse trajeto edificador do Ser é o de recorrer aos outros. Tão logo se vê diante das dificuldades, a pessoa busca soluções fora de si.

Esse movimento de fuga a enfraquece, tornando-a frágil e imatura para lidar com os seus problemas. Qualquer onda de confusão provoca um alvoroço interno e turbulências emocionais. Nessas ocasiões em que os eventos exteriores se agravam, provocando inúmeros desconfortos, podem ocorrer os sinais físicos de dores nos pés.

Para trilhar um caminho contrário a esse, quando surgirem os problemas, primeiro busque as soluções em si até esgotar as suas possibilidades. Agindo assim, dará vazão aos potenciais e se aprimorará. Vale lembrar que a solução definitiva de uma situação está dentro da própria pessoa e não fora ou nos outros. Geralmente, procuramos nos esquivar dos obstáculos, desviando o foco para outras direções e perdendo a chance do confronto, que tanto pode solucionar as questões quanto aprimorá-las interiormente.

Além da predisposição para sofrer interferências, em virtude da busca de apoio fora de si, existem as pessoas superprotetoras. Elas procuram amenizar as sobrecargas alheias, assumindo aquilo que os outros ainda não têm habilidade para assumir. Essa conduta aparentemente boa, pois resolve as questões momentâneas, tira, porém, a chance do aprendizado daqueles que estão passando pelas experiências. Provavelmente sem a ajuda imediata, eles acessariam os seus recursos internos e venceriam os seus desafios, conquistando o fortalecimento interior.

É difícil cedermos às tentações da ajuda proveniente dos outros e optarmos pelo amadurecimento emocional. Esse comodismo vai pesar no futuro, quando nos depararmos com os mesmos obstáculos, sem a presença superprotetora. Sem o apoio habitual, contamos com os recursos internos; como esses são escassos, ficamos entregues à própria sorte, protelando os problemas que parecem insolúveis. Essa visão é causada pela pobreza de elementos interiores, tais como a criatividade, a ousadia e outras aptidões que não foram desenvolvidas e, agora, nos arrastam para a angústia, gerando sentimentos de vítima. Pode-se dizer que não somos vítimas dos outros, tampouco das situações externas, mas, sim, de nós mesmos.

Diga não às facilidades, principalmente àquelas que conspiram a favor do seu enfraquecimento interior.

É preferível confrontar as adversidades agora, enquanto contamos com o apoio e a retaguarda de pessoas que estão do nosso lado, a fazê-lo quando estivermos sozinhos. Além de estarmos desprovidos dos recursos internos, não contaremos com o apoio emocional dos entes queridos. O apoio emocional dos outros é bem-vindo desde que não venha acompanhado de interferências, que tiram a nossa chance de aprender.

PEITO DO PÉ E O METATARSO

Poder e comando da situação.

O peito do pé fica na parte dorsal ou acima do pé, estende-se do tornozelo aos dedos. A região intermediária, que fica no meio do pé, é chamada de metatarso, composta por cinco ossos metatarsais.

Essa região refere-se metafisicamente ao poder e à autoridade para agir no ambiente. É a capacidade de comandar a situação e de dar as coordenadas dos eventos, proporcionando condições propícias para alcançar os resultados desejados.

Diante dos eventos inusitados do cotidiano, a pessoa imediatamente assume a sua capacidade de coordenar os eventos para sanar as confusões do ambiente. Possui facilidade para acessar os recursos internos e eliminar os transtornos do meio. Age prontamente diante das mais variadas circunstâncias, mostrando a sua capacidade de cuidar da sua própria vida.

Fraturas dos ossos metatarsais geralmente ocorrem por causa de queda de objetos pesados sobre o peito do pé. Também podem ser decorrentes de movimentos bruscos no esporte ou na dança.

No âmbito da metafísica da saúde, esses eventos ocorrem quando a pessoa é surpreendida com eventos no seu cotidiano que tiram dela as rédeas das situações. De certa forma, ela perde o controle e o poder sobre os acontecimentos, ficando à mercê de outras forças que não estão sob o seu controle.

Como não confiam nos outros ou não sabem delegar o controle da situação, sentem-se agredidas tanto com as interferências quanto com a ineficiência dos colaboradores, provocando elevado esgotamento. Por mais que façam, não conseguem mudar o contexto.

A pessoa precisa admitir que ela não é a única capaz de sanar os conflitos e aceitar a ajuda de alguém. Deve parar de subestimar a participação dos outros e pedir a colaboração de todos que compartilham a situação, e olhar para os ganhos do trabalho em equipe que enriqueceram o desempenho das tarefas do meio familiar ou profissional.

DEDOS DO PÉ

Desenvoltura na vida prática.

Os dedos do pé são formados por falanges, que são as pequenas partes ósseas que compõem os cinco dedos. O primeiro, conhecido como dedão (*hallux*), tem duas falanges, e os outros quatro dedos têm três falanges cada.

No âmbito da metafísica da saúde, os dedos se relacionam com a desenvoltura e com a capacidade de mobilizar os seus potenciais na vida prática. A força de expandir e ampliar os horizontes necessariamente não se manifesta em grandes movimentações, mas, sim, na boa mobilidade no ambiente. Trata-se mais de uma consistência emocional do que de força física. Essa força se manifesta como habilidade de explorar a realidade e de driblar as adversidades do cotidiano.

A força física não é a maneira mais eficiente de conquistar e de ampliar as condições existenciais, mas, sim, a habilidade de expor os seus conteúdos em meio às adversidades cotidianas. Essa conduta promove um bom deslanche no ambiente e novas conquistas, que abrem novos horizontes.

A realidade não se limita às condições atuais. O que temos é fruto do que exteriorizamos no ambiente até o momento. Para darmos um passo além do que já conquistamos, ou sermos mais do que já nos tornamos, faz-se necessário expormos os nossos talentos com disposição e agilidade.

Problemas nos dedos do pé, de modo geral, referem-se às dificuldades de aceitar ajuda. Mesmo sabendo que precisa de colaboração, a pessoa não consegue identificar ninguém disposto a colaborar. Também não tem paciência de ensinar, julga mais trabalhoso explicar o que precisa ser feito do que esperar o momento oportuno para ela mesma fazer.

Vale lembrar que a colaboração é tão valiosa quanto as conquistas. Ao ganharmos novos aliados, eles nos acompanharão por várias outras ocasiões. Podemos ampliar a nossa capacidade de realização, pois os outros acrescentam suas habilidades, somando forças na conquista de novos horizontes.

A boa desenvoltura é uma condição de quem possui habilidades no manuseio das atividades, mas principalmente daqueles que sabem interagir com os outros. É preciso ter aptidão para integrar-se com todos os envolvidos na situação; desse modo, tudo flui melhor. O senso de equipe estimula a colaboração. O trabalho em grupo fortalece os envolvidos, fazendo com que os membros sejam aptos a desempenharem a mesma tarefa. Isso evita o excesso de atribuições que sobrecarrega um ou outro, enquanto a maioria não participa ativamente das atividades.

FRIEIRA

Insatisfação e suscetibilidade a críticas.

Frieira, também conhecida como pé de atleta, são micoses de pele causadas por fungos, que afetam a sola dos pés e principalmente os espaços entre os dedos.

Refere-se metafisicamente à dificuldade de manifestar suas qualidades no ambiente. Depara-se com impedimentos externos que comprometem o seu desempenho. A impressão é de que a pessoa não dá conta das demandas do ambiente, mas, na verdade, se atrapalha com as opiniões alheias. Ela não sabe lidar com o espanto causado nos outros pelo elemento surpresa, durante a realização dos afazeres.

É suscetível aos palpites dos outros e sente-se agredida pela reprovação das suas tarefas. Em vez de acatar as dicas favoráveis, incomoda-se com as colocações feitas sobre o seu desempenho. Por certo que algumas pessoas são inconvenientes e/ou até incisivas nas suas colocações, mas não podemos permitir que isso atrapalhe o nosso desenvolvimento no meio.

Quando não conseguimos fluir intensamente, ficamos incomodados por não empregar todo o nosso potencial. Olhamos em volta com insatisfação, pois sabemos que podemos fazer mais e melhor do que tem sido feito. Caso não tivéssemos ficado constrangidos com os outros, os resultados do nosso desempenho seriam outros.

JOANETE

Desvio dos objetivos e apoio nos outros ou nos afazeres.

Joanete é um desvio lateral acentuado do primeiro dedo do pé em direção aos demais. Esse desalinhamento forma uma saliência, composta de um tecido mole e inflamado sobre o osso lateral do pé.

Na esfera da metafísica da saúde, joanete está relacionado com a mudança no encaminhamento do seu foco. A pessoa desvia os seus interesses e passa a agir, mobilizando-se em prol dos outros. Ela abandona a sua natureza interna e extrapola o empenho para com aqueles que estão a sua volta. Estabelece as suas bases de segurança emocional nos outros, transferindo para aqueles que compartilham do seu cotidiano a sua autorreferência.

A pessoa apoia-se no papel que desempenha e nas atividades que dependem dela. Pois não consegue se imaginar no ambiente a não ser no lugar que sempre ocupou, isto é, sendo responsável pelas incumbências que dependiam dela. Mesmo se tratando de atividades desgastantes, proporcionavam-lhe uma importante base de apoio emocional, que a definia no ambiente.

Em virtude dessa dependência, ela estende o período de relacionamento, permanecendo mais tempo junto de quem quer bem. Uma mãe, por exemplo, continua se relacionando com os seus filhos, nos moldes maternos, mesmo com eles já maduros. Busca segurança nas situações que não lhe dizem mais respeito.

Em vez de dar continuidade aos seus projetos, fica presa às questões relacionadas aos outros, deixando de seguir o seu curso existencial, onde realizaria os seus projetos de vida.

A fase em que os filhos saem de casa para seguirem a sua vida e a casa fica vazia é chamada de "ninho vazio". Não só a casa fica vazia, mas também os pais sentem o vazio interior. É quando pode ocorrer a "síndrome do ninho vazio", causando uma série de distúrbios emocionais. O joanete é uma das somatizações dessa condição interna.

Os pais se acomodaram a uma realidade de convívio familiar que durou longo período. Constantemente eram solicitados para atender às necessidades dos filhos ou da casa, estabelecendo uma espécie de rota existencial, de fora para dentro. Com as mudanças do cenário e sem essas demandas cotidianas, faz-se necessário desenvolver o hábito de "transitar" em outra rota existencial: de dentro para fora.

Esse movimento de dentro para fora exige que a pessoa volte para si em busca dos conteúdos internos, os quais foram ofuscados pelos papéis que ela desempenhou no ambiente e na vida dos outros.

Não depender mais da aprovação dos outros, tampouco sentir-se importante pelas suas funções no meio; observar mais a si; reconhecer as suas necessidades pessoais e as vontades próprias, tudo isso abrirá outros caminhos para a sua vida.

As necessidades são espécies de portas a serem atravessadas para o meio externo. As vontades representam o combustível que nos move para o mundo. Imbuídos da vontade e em busca do suprimento das necessidades, nos lançamos para o ambiente, a fim de realizar a nossa trajetória de vida. Dessa forma, nos preenchemos de nós mesmos, em vez de mergulharmos no vazio interior causado pelo autoabandono, seguido da escassez das demandas exteriores (ninho vazio).

Os impulsos essenciais para a realização pessoal na vida vão de dentro para fora. Não busque motivo fora ou nos outros para agir. Reconheça dentro de si um sentido próprio para as suas ações. A expressão dessa natureza interior proporciona tanto os resultados promissores no meio quanto o preenchimento de si e consequente realização pessoal.

FRATURA ÓSSEA

Abalo das suas convicções e das forças internas.

Uma fratura é qualquer ruptura de um osso. Ela pode variar desde uma rachadura mínima na superfície do osso, uma divisão parcial ou até uma quebra total. As fraturas ocorrem conforme a idade e os níveis de atividades. Elas podem ser causadas por um impacto repentino, por compressão ou por tensão repetitiva.

No âmbito da metafísica da saúde, a fratura óssea está relacionada aos abalos emocionais causados tanto pelas adversidades do ambiente quanto pelas concessões feitas aos outros, a contragosto ou que extrapolam as nossas possibilidades de colaboração ou de participação numa situação.

Dedicamo-nos excessivamente aos outros, atendemos prontamente às solicitações exteriores; tão logo somos convocados a participar ativamente de uma situação, nos desdobramos para atender as necessidades do ambiente. Negligenciamos os nossos anseios e desconsideramos os nossos desejos, não apoiando o que sentimos.

A firmeza e a força interior são investidas nos outros; emprestamos toda a nossa convicção para incentivar e apoiar os outros. Também assumimos mais incumbências do que nos competem. Esse deslocamento de força nos enfraquece, podendo levar à exaustão. Caso tudo venha a ruir ou nos frustramos com os resultados desastrosos, essa decepção pesará, pois a dedicação exagerada esgotará as nossas forças internas. Exauridos e decepcionados com as ocorrências, atrairemos os impactos ou provocaremos as compressões ou as tensões repetitivas sobre os ossos, causando as fraturas.

Outro fator emocional que devemos levar em consideração nas atitudes das pessoas que sofrem algum tipo de fratura óssea refere-se a essa solicitude e prestimosidade aos outros. Quando as pessoas se veem impossibilitadas de participar ou de ajudar de alguma forma, ficam profundamente abaladas pelas suas limitações e por não atenderem às necessidades exteriores.

Por outro lado, se a pessoa precisar tomar medidas mais duras para coibir os abusos ou acabar com algum processo insuportável, que se estendeu além da conta, extrapolando os limites, suas ações rudes agridem mais a si própria do que os outros. Quando não é do seu feitio agir com rigor, mas precisa tomar medidas ríspidas contra quem a cerca, isso lhe causa profundos abalos que podem atrair impactos e ocasionar fratura óssea.

Em meio às circunstâncias desagradáveis é preciso escolher entre continuar sendo agredida pelos eventos insustentáveis ou pôr fim a esses exageros; ainda que as suas ações causem desconforto a outrem. Caso opte por manifestar as suas indignações e por parar de ser atingida, que o faça sem culpa e sem arrependimentos. Cada pessoa é responsável por cuidar de si e, não, supervalorizar os outros e se prejudicar.

Os ossos mais expostos a sofrerem algum tipo de fratura, pela posição que ocupam no corpo ou pela participação nos movimentos, são os ossos do braço, das mãos, pernas, pés, costelas e outros.

Seguem algumas características metafísicas da fratura em alguns desses ossos. Recomendamos também a leitura de textos sobre respectivos ossos afetados, para ampliar a consciência acerca dos talentos reprimidos e do tipo de conflito emocional causador da fratura especificamente naquele osso.

Algumas fraturas foram descritas nos respectivos ossos, tais como: fratura de crânio - página 26; fratura na clavícula

- página 41; fraturas nas costelas - página 45; Fratura no antebraço - página 50; Fraturas dos ossos Metatarsais (pé) - página 99.

Fratura no cotovelo. A pessoa se depara com empecilhos que interferem na conquista de um ambiente agradável e satisfatório. Esses obstáculos mostram-se intransponíveis, causando abalos e irritabilidade com as suas próprias limitações para modificar a situação. Vale lembrar que a mudança segue um curso contrário ao desejado e deve ocorrer de dentro para fora e não o contrário. Primeiro mudamos internamente, para depois transformarmos as situações exteriores.

Fratura no punho. Metafisicamente, representa abalos na fluidez das atividades. A pessoa sente que suas ações não são suficientes para sanar as confusões exteriores. Dedica-se exageradamente ao meio e vive se deparando com eventos que mostram a ineficiência de sua participação como a perda de mobilidade para lidar com as adversidades do cotidiano. Também isso pode ser decorrente do uso da força física de maneira mais violenta e desnecessária que somente agrava o problema em vez de solucioná-lo.

Fratura no ombro. Esforço exagerado para manifestar o que sente. A pessoa esgota os seus recursos de dedicação a quem quer bem. No entanto, o seu empenho é em vão, não consegue criar um ambiente de convivência agradável e feliz. Ocasionalmente, ela pode recorrer a manifestações mais agressivas e, com isso, piorar ainda mais a situação e causar profundo abalo e arrependimento pelos exageros cometidos a quem quer bem.

Fraturas nas costelas.[6] A pessoa se agride ao reprimir a manifestação dos conteúdos internos. Ela se fere por não conseguir expor o que sente por todos ou por alguém que é

---

6 Leia também página 46 deste volume "problemas nas costelas"

querido. Sente-se afrontada pelas ocorrências externas, que são contrárias às suas concepções de vida, crenças e valores. Por força das circunstâncias, pode estar sendo obrigada a agir contra o que acredita e acha certo.

Fratura na bacia.[7] Ocorre nos momentos em que a pessoa se depara com a sua inabilidade para lidar com os obstáculos do cotidiano. Como os seus procedimentos não estão sendo suficientes, faz-se necessário criar novas medidas e adotar diferentes estratégias para favorecer a desenvoltura no meio, evitando as surpresas desagradáveis. No entanto, o medo de errar faz com que a pessoa insista no mesmo comportamento, sem sucesso. A resistência às mudanças agrava os problemas e enfraquece emocionalmente o indivíduo, abalando a força de agir e a desenvoltura para superar os obstáculos.

Fratura no joelho. Surge nos momentos de vida nos quais a pessoa não admite ocorrências que lembrem o seu passado ou tampouco admite recuar numa decisão tomada, ter de ceder diante dos outros e admitir os seus insucessos ou os seus erros estratégicos. Em vez de acatar essas situações, ela prefere resistir e não ceder; deseja provar a si mesma e aos outros a sua força. O contrassenso dessa conduta é que ela se enfraquece interiormente, com as seguidas decepções e fracassos.

Fratura na perna (tíbia e fíbula). A pessoa perde a segurança de que dará conta de quaisquer eventos futuros. Os tropeços presentes abalam a certeza da sua liberdade e a autonomia para seguir em frente e superar as adversidades do amanhã. Os atritos com os outros tornam-se exaustivos e vão minando a força para agir. A persistência em determinada conduta dificulta ainda mais a viabilização dos bons resultados.

---

7 Leia também a página 149 deste volume "dor ou problemas no quadril"

Para mudar o padrão emocional relacionado a todo tipo de fratura é importante que a pessoa procure outras maneiras de agir; não insista no mesmo propósito, pois isso, além de desgastar ainda mais as suas forças para assumir a sua própria vida, também abala a liberdade e a idoneidade para lidar com as adversidades do cotidiano presente e futuro.

OSTEOPENIA

Falta de autoapoio.

Trata-se de uma redução da massa óssea abaixo do normal. Começa a instalar no organismo uma condição favorável ao desenvolvimento da osteoporose.

Metafisicamente, a fragilidade óssea refere-se à falta de firmeza interior e de apoio nos seus próprios pontos de vista, promovendo um movimento para o ambiente exterior desprovido da autorreferência. Desse modo, a pessoa pode extrapolar a dedicação aos outros e aos afazeres e não usufruir daquilo que conquistou. Esses aspectos serão amplamente explanados adiante na osteoporose.

Nada do que a pessoa recebe vai preenchê-la se ela estiver distante da sua força e se não acreditar em si mesma. A falta de segurança gera lacunas emocionais, que não são preenchidas por nada que venha de fora ou dos outros. Com esse padrão, dificilmente a pessoa vai atrair boas respostas. Quando recebe algum retorno, se queixa por não ser valorizado o suficiente. O desvalor faz com que os outros apenas retribuam o que ela sente a respeito de si mesma.

Mesmo enaltecendo os seus feitos para elevar a resposta do meio, suas palavras são apenas expressões verbais, que não saem carregadas de sentimentos. Quem se sente bom, capaz e seguro, não precisa expressar isso a todo momento, pois a resposta vem à altura dos seus sentimentos de autovalor.

OSTEOPOROSE

Falta de sustentação interior e de merecimento.

É a doença óssea mais comum, que afeta o sistema esquelético da população de meia-idade e idosa, especialmente as mulheres após a menopausa.

Na osteoporose, os ossos ficam mais finos, porosos e com a densidade reduzida. A diminuição dos hormônios sexuais e outras causas orgânicas aumentam a velocidade da decomposição do tecido ósseo e da perda de cálcio pelo corpo. A baixa do cálcio é maior do que a reposição que seria feita pela alimentação. A menor absorção do cálcio compromete a formação de novos tecidos ósseos. A massa óssea torna-se tão enfraquecida que se quebra, muitas vezes, espontaneamente. Um movimento de se sentar rapidamente, por exemplo, pode fraturar o quadril.

Para avaliar metafisicamente as condições internas das pessoas que manifestam a osteoporose, precisamos observar o estilo de vida que elas tiveram. Num panorama geral, elas foram dedicadas e solícitas; mobilizavam os seus conteúdos internos para atender as demandas do ambiente. Deram o melhor de si, empregando o seu talento, quando eram solicitadas, bem como nas atividades sob sua responsabilidade.

Ao longo de suas vidas, não fizeram "corpo mole" diante das demandas existenciais. No tocante à participação ativa e à vontade de ajudar os outros, elas foram pontuais, deram o seu melhor, contribuindo de maneira significativa para suprir as necessidades alheias. Achavam que podiam dar conta das demandas do cotidiano. Quanto mais faziam, mais se envolviam com os afazeres, mais se responsabilizavam, inclusive pelas atividades que diziam respeito aos outros.

A satisfação do dever cumprido era reconfortante. Ao se deitar, com o corpo exausto, colocavam a cabeça no travesseiro, respiravam fundo e aliviadamente; nesse momento, vinha um sentimento agradável e restaurador, por ter dado conta do recado.

No entanto, as demandas não acabavam nunca. Por mais que se dedicavam, não conseguiam sanar algumas questões. A própria rotina do cotidiano as absorvia integralmente.

Não existia possibilidade de dar vazão aos mais caros sentimentos; tampouco às satisfações momentâneas. O prazer sempre foi consumido pelas obrigações. Não havia espaço para serem criativas, a rotina suprimia a espontaneidade; era impossível serem autênticas diante do labor de todos os dias.

Ao longo da vida, a pessoa se empenhou de maneira tão acirrada que praticamente não viveu. Aprendeu a dar, a se dedicar e a investir tudo de si nos afazeres ou nos outros.

Essas condutas abalaram a solidez interior e a firmeza de propósito, comprometendo a sustentação em si mesmas. Algumas pessoas tornaram-se carentes e se isolaram, enquanto outras ficaram dependentes da aprovação de alguém. Mesmo os resultados promissores não são assumidos, porque a pessoa não tem em si os componentes emocionais condizentes ao que proporciona para o meio externo.

As defasagens internas dificultaram o alcance dos objetivos; também adiaram e reduziram os retornos do empenho, tornando-os aquém de toda a dedicação.

Diante de alguns benefícios conquistados, a pessoa não sabe aproveitar, tampouco se apropria deles. Pois o seu estilo de vida não incluía esses retornos. Tinha de dar conta de várias atividades, dedicar-se muito e praticamente sem prazer algum.

A pessoa precisa reaprender a se envolver com as situações agradáveis e deixar de ver somente os infortúnios que remetem às obrigações. Internalizar os eventos positivos, em vez de ficar envolvida com os problemas e as dificuldades. A impressão que ela tem é que os retornos favoráveis não são para si. Mesmo estando relacionados consigo, parecem distantes e que os outros têm mais direito do que ela. Ao usufruir desses benefícios, fica desconcertada e pode sentir-se culpada.

A somatização da osteoporose nos ossos é um mal físico, que afeta as pessoas as quais alcançaram algum benefício, conquistaram certas regalias, mas não sabem usufruí-las, tampouco sentem-se merecedoras de desfrutá-las. São hábeis no empenho e na doação, mas não aprenderam a receber ou a gozar das vantagens, sejam de ordem material, sejam de ordem afetiva, familiar ou social.

É preciso mudar a crença de que nos tornamos fortes quando fazemos algo pelo outro, ou nos dedicamos aos afazeres. A força está dentro de nós, possuímos uma consistência interna que se amplia ainda mais quando nos conscientizamos dessa fonte. Ao acolher os recursos externos adquiridos por nós mesmos ou concedidos por alguém, eles são somados a nós, fortalecendo ainda mais essa constituição emocional.

CONSIDERAÇÕES FINAIS

Existe uma necessidade inata do ser humano de se realizar no meio em que ele vive. Essa realização consiste em conquistar o seu espaço, ser reconhecido e valorizado pelas pessoas do convívio. Para atingir esse objetivo, internalizamos o mundo, absorvendo os critérios dos outros, os modelos de como devemos proceder e quais comportamentos serão considerados válidos e aceitos.

Esse procedimento é a tentativa de ser agradável. Imaginamos que assim seremos aceitos, considerados e, portanto, felizes. Ao incutir o mundo dentro de nós, sufocamos a nossa expressão natural, comprometendo a originalidade e a espontaneidade.

Quando tentamos nos moldar ao mundo, além de sufocar a nossa natureza, nos tornamos inconvenientes, formais e desagradáveis. A conquista do espaço no mundo deve ser feita com os nossos próprios talentos, sendo originais e espontâneos. Essa é a melhor maneira de cativar as pessoas que compartilham o nosso cotidiano. O mais importante é não sufocar a nossa essência e preservar as qualidades e os talentos do Ser, que são indispensáveis para a nossa realização pessoal.

CAPÍTULO 2
SISTEMA ARTICULAR
interação com o meio

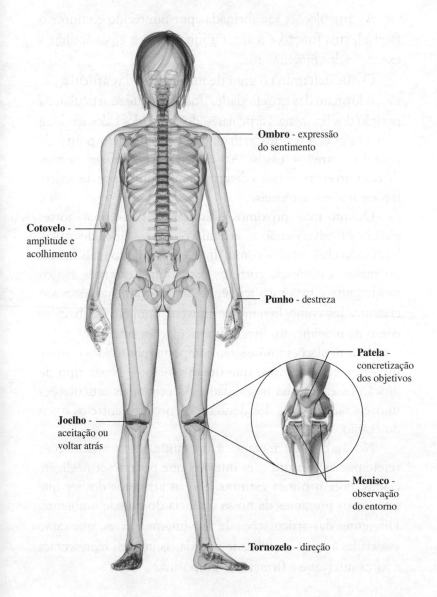

- **Ombro** - expressão do sentimento
- **Cotovelo** - amplitude e acolhimento
- **Punho** - destreza
- **Patela** - concretização dos objetivos
- **Joelho** - aceitação ou voltar atrás
- **Menisco** - observação do entorno
- **Tornozelo** - direção

SISTEMA ARTICULAR

Flexibilidade do Ser.

As articulações são formadas por um tecido conjuntivo flexível, cuja função é realizar a junção óssea e possibilitar a execução dos movimentos.

O que determina o grau de movimento das articulações são: o formato das extremidades dos ossos que se articulam; a posição dos ligamentos articulares, dos músculos e dos tendões; a extensão dos tecidos articulares, definida pelo ponto de contato entre os ossos. As características desses pontos de contato entre os ossos determinam os dois tipos de articulações: imóveis e móveis.

Quanto mais próximos estiverem os ossos, mais fortes e menos flexíveis serão as articulações; esses tipos de articulações são classificados como "imóveis". Quanto mais frouxa ou maior a distância entre os ossos, mais extensos são os movimentos e maior é a tendência de deslocamento; essas são classificadas como livremente móveis, também conhecidas como de movimentos livres ou articulações sinoviais.

As articulações imóveis são compostas por tecidos conjuntivos fibrosos e densos, que unem os ossos. Nesse tipo de junção óssea não há mobilidade. As principais articulações imóveis são as raízes dos dentes e o encontro entre os ossos do crânio.

No âmbito da metafísica da saúde, essas articulações referem-se às constituições internas que podem ser negligenciadas, porém nunca extintas. São os atributos do Ser que estão mais próximos da nossa essência do que do ambiente. Diferentes das articulações de movimentos livres, que estão associadas à nossa mobilidade na vida, as imóveis representam a força interior e a firmeza de propósito.

Em virtude da maior resistência física desse tipo de articulação, é menor a chance de fraturas. Analogamente, as adversidades do cotidiano geram conflitos e algumas desordens emocionais, mas raramente aniquilam as concepções profundas do Ser. Os firmes propósitos e os mais caros sentimentos não são afetados pelas adversidades do cotidiano.

Para atingir esses conteúdos, somente os acontecimentos extremamente impactantes podem mudar o curso das ações, fazendo a pessoa desistir dos seus objetivos. Esses eventos condizem com os processos somáticos de fratura craniana, que se dá mediante acidentes graves. Quando acontece um desastre dessa gravidade é que têm ocorrido sucessivas decepções, que levaram a pessoa a rever as suas crenças. Leia também no sistema ósseo: crânio, página: 24.

Semelhantes eventos existenciais podem afetar as raízes dos dentes. Quando uma cárie afeta o canal dentário[8] ou uma batida arranca o dente, isso representa metafisicamente confrontos com acontecimentos impactantes, que nos fazem rever os nossos valores e repensar as escolhas que norteiam as ações.

Salvo esses incidentes físicos e metafísicos, os eventos exteriores geralmente não afetam nossas verdadeiras concepções de vida. Persistimos no propósito mesmo diante das adversidades.

Persistir num propósito não deve ser confundido com teimosia. Apesar de serem comportamentos parecidos, possuem características específicas.

---

8 Saiba mais a respeito no volume 1 desta série: cárie e canal, p 107-109

A persistência é uma ação motivada pelos componentes internos, isenta de conflitos, revoltas ou rebeldias. Ela é baseada nas convicções profundas e inabaláveis do Ser. Trata-se de um movimento que acontece de dentro para fora, sem provocações, tampouco insistências para convencer os outros acerca daquilo que pretendem realizar.

Uma pessoa persistente olha para o ambiente, identifica e mapeia as tendências favoráveis aos seus propósitos. Ela busca novas alternativas, não insiste em fazer as coisas do mesmo jeito. Volta para si e avalia os planos, desejos e vontades, buscando traçar estratégias promissoras. Nesse ínterim, ela não recorre aos outros para ter soluções e aprovações. Os esforços são dirigidos para a implantação das estratégias. Respeita os diferentes pontos de vista, mas não se deixa abater pelas opiniões alheias.

O teimoso, por sua vez, é competitivo e não aceita a colaboração dos outros. Possui componentes de rebeldia; em vez de ater-se ao seu desempenho, ele compara a maneira de executar os objetivos a serem alcançados com a das demais pessoas que participam das mesmas atividades.

Ele insiste em realizar os seus planos, mesmo quando as tendências são desfavoráveis. Além de se opor ao que os outros dizem, luta contra as adversidades e gasta muita energia para seguir adiante, insistindo na mesma maneira de realizar os seus intentos. Opõe-se a novas ideias e se fecha a novas possibilidades; não admite pontos de vista contrários aos seus. Faltam sutileza e leveza no modo de atuar e de se relacionar com as pessoas do seu meio. Quer convencer os outros em vez de manter-se no seu propósito.

As articulações móveis, livres ou sinoviais são mais numerosas, versáteis e com maior liberdade de movimentos. Elas são responsáveis pela flexibilidade da maioria das juntas do corpo. Os revestimentos internos das articulações sinoviais produzem o líquido sinovial, que é semelhante ao óleo, lubrifica, evitando atritos e pequenos desgastes articulares.

Metafisicamente, elas representam a maleabilidade do Ser ante as situações existenciais; a arte de viabilizar os recursos internos em prol dos objetivos existenciais.

Quando estamos imbuídos de um propósito, acionamos a criatividade e ativamos a motivação; esses e outros atributos internos favorecem a nossa desenvoltura no ambiente. A vida tem os seus caminhos. Existem momentos apropriados ou inviáveis, bem como pessoas dispostas a colaborarem e outras indisponíveis naquele instante. A maneira como interagimos com o meio caracteriza a saúde articular ou pode prejudicar as funções das articulações.

Dentre os principais desafios existenciais, destaca-se a mobilidade para lidar com os componentes internos diante das adversidades do cotidiano, viabilizando os conhecimentos para a obtenção de resultados promissores. Isso não implica, necessariamente, o sucesso na carreira e obtenção de lucros; os resultados financeiros são consequências da execução de um bom trabalho, e não devem ser o único estopim motivador das nossas ações.

O importante não é apenas fazer um bom trabalho e receber por ele, mas, sim, expor aquilo que se tem de melhor, de maneira a obter respostas positivas que vão além do dinheiro ganho. Entre elas: sentir-se realizado e com a sensação de dever cumprido; desenvolver habilidades; conquistar o respeito e ter espaço na vida para usufruir os privilégios e fazer a nossa parte. Esses atributos interiores perduram por toda vida; já o dinheiro recebido propicia benefícios momentâneos, enquanto durar a soma obtida pelo trabalho realizado.

O talento não é o único componente para o sucesso; não adianta termos talentos se não conseguirmos transferi-los para a vida prática. Dentre os outros ingredientes destacam-se a habilidade para interagir com pessoas; a sensibilidade para identificar oportunidades e a sabedoria de fazer as escolhas certas. Geralmente, buscamos recursos exteriores ou materiais para a execução de um projeto; o que não percebemos é que já possuímos os recursos internos e os valores agregados necessários para obter aquilo de que precisamos, para sermos bem-sucedidos na viabilização dos nossos talentos.

A atuação profissional não deve ser o único meio de realização existencial. Quem vive em função do trabalho pode até ganhar muito dinheiro, mas tem uma vida pobre em experiências. A diversificação de experiências obtidas por meio das atuações na vida social, nas relações interpessoais, familiares e/ou afetivas são as verdadeiras riquezas existenciais.

A aceitação dos outros sobre o que realizamos demonstra a nossa habilidade de nos expressar perante eles. Algo só será adquirido ou compreendido se for apresentado de forma a envolver as pessoas que estão ligadas aos acontecimentos, e não com imposição, apresentada em momentos impróprios. Pode-se dizer que a aceitação dos outros depende basicamente do momento e da maneira como são feitas as demonstrações dos fatos ou produtos.

Tudo isso está associado à flexibilidade de interação com o meio, que consiste na capacidade de observar o que está ao redor e perceber se as condições daquele momento são compatíveis aos nossos propósitos. Caso não sejam, é de bom-tom deixar para outra ocasião, pois isso aumentará a chance de obter sucesso naquilo que será exposto.

Esse talento não depende exclusivamente da bagagem cultural e intelectual. Não se deve levar em conta tão somente o que sabemos, mas, sim, como viabilizamos os nossos conhecimentos. Um exemplo disso é a relação entre o QI (Quociente Intelectual) e o QE (Quociente Emocional).

Em suma o QI é a mensuração da bagagem de informações, a qualificação acadêmica, a capacitação técnica para o trabalho e a agilidade de raciocínio. Quem possui um QI elevado conta com certa facilidade para ingressar nas rodas de amigos e de ser contratado pelas empresas. No entanto, somente esse atributo não é suficiente para estabelecer laços de amizades duradouras, tampouco garantir o sucesso profissional. Não raro nos meios corporativos, pessoas são admitidas pelo seu QI, porém não fazem carreira, sendo demitidas pelo baixo QE.

O QE representa a estabilidade emocional para lidar com as situações conflituosas; a capacidade de controlar a ansiedade e a impulsividade. Essas condições são indispensáveis para preservar os relacionamentos e prolongar a convivência no ambiente de trabalho. O equilíbrio emocional proporciona excelência relacional, tornando as relações estáveis e duradouras, sejam elas no trabalho ou na vida social e familiar.

Essa condição pode ser chamada de inteligência emocional[9], sobre a qual existem vários estudos, que discorrem sobre essa capacidade de gerenciar as emoções e mantê-las estáveis. Trata-se de uma condição que permite controlar as reações instintivas e promover respostas mais apropriadas ou assertivas para adversidades cotidianas. Ao refletir e contemporizar os acontecimentos, conseguimos selecionar a melhor maneira de reagir às adversidades, sem agravar ainda mais os conflitos.

Um método prático para despertar a habilidade de se comunicar com pessoas diferentes é se colocar no lugar do interlocutor. A mudança de papel permite avaliar a expressão sob outro prisma, isso amplia a concepção acerca de como nos colocamos perante os outros, flexibilizando a manifestação dos nossos conteúdos.

---

9 Dentre os principais estudos sobre a inteligência emocional, destaca-se o trabalho de Daniel Goleman no livro *Inteligência Emocional: a teoria revolucionária que redefine o que é ser inteligente*. Rio de Janeiro: Objetiva, 2012.

Como foi visto anteriormente, antes de se colocar no ambiente, existe a instância de identificação e de interpretação das demandas provenientes do meio e das pessoas ao redor. É como se existisse uma lente composta por nossos próprios componentes, que cria uma ótica acerca do mundo, influenciando na interpretação dos acontecimentos.

A saúde das articulações móveis, livres ou sinoviais, segundo a metafísica da saúde, consiste em flexibilizar a manifestação no meio em que vivemos e promover uma integração harmoniosa com os integrantes do ambiente, ou seja, lidar com as adversidades sem acionar os mecanismos de negação ou de fuga; admitir a realidade dos fatos sem recorrer aos subterfúgios, encarando os acontecimentos de maneira ponderada e comedida. Tampouco ser inconveniente, teimoso ou mimado, querendo que tudo se adapte às necessidades próprias. Fluir a vida em busca do sucesso existencial e da realização pessoal. Ter flexibilidade para interagir com os outros, sem negligenciar os próprios valores internos.

OMBRO

Variadas formas de expor os sentimentos.

As articulações do ombro são formadas por um conjunto de ossos, ligamentos, articulações da clavícula e músculos, que compõe a chamada cintura escapular. Realiza a junção entre os ossos do úmero e da escápula, unindo o braço ao tórax. É uma articulação que possibilita amplo grau de movimento do braço.

A abertura dos braços expõe as axilas, dando a sensação de exposição da intimidade torácica. A caixa torácica é composta por órgãos vitais, de grande expressão emocional; dentre eles, destaca-se o timo, que representa uma espécie de "berço dos sentimentos". Também recebemos de braços abertos as pessoas a quem queremos bem. Essa aproximação com quem gostamos desperta a nossa afetividade.

Metafisicamente, as articulações do ombro representam as diversas possibilidades de manifestação dos sentimentos, bem como a liberdade de exteriorizar os conteúdos afetivos. As ações que evidenciam os sentimentos, além de proporcionarem sensações extremamente agradáveis, representam espécies de nutrientes que fortalecem ainda mais aquilo que sentimos.

Quando gostamos de alguém, somos contagiados por um espírito colaborador e participativo. O sentimento desperta o interesse por tudo o que diz respeito à pessoa a quem queremos bem. O que está relacionado a ela se torna agradável também a nós e representa outras formas de manifestações dos conteúdos afetivos. O fato de poder participar da vida do outro representa uma forma de expressão dos sentimentos.

Não existe uma única maneira para realizar o que temos vontade, tampouco uma só forma de colaborar. Ter a flexibilidade de encontrar a ocasião oportuna ou a participação mais viável representa condutas metafisicamente saudáveis para as articulações do ombro.

A objetividade e a especificidade não são condizentes com a subjetividade dos sentimentos, tampouco o egoísmo e a exclusividade. O afeto contempla o universo alheio e as situações do mundo exterior.

A nossa participação não deve atender exclusivamente aos anseios próprios, mas, sim, às necessidades que se apresentam no momento. Elas permitem a participação de forma a contribuir com os outros ou com o meio, esse gesto também sacia os nossos sentimentos. Os fatores externos e o que diz respeito aos outros independem das nossas vontades. Na interação com o ambiente surgem prioridades que não são determinadas por nós. A saúde articular consiste na flexibilidade para aderir a esses componentes externos.

DORES NO OMBRO

Ferimentos emocionais.

As dores no ombro podem ser ocasionadas por um ou mais problemas, incluindo a bursite, a tendinite (inflamação do tendão do maguito rotator) e a calcificação dos tendões, por causa do desgaste ou ruptura. Os componentes emocionais de cada uma dessas disfunções serão descritos na sequência.

Essa dor também pode surgir após algum traumatismo causado pelo uso excessivo e que se repete em outras mobilidades que exigem esforços ou amplo movimento dos braços. Caso a dor persista ou agrave, é indispensável fazer um tratamento para evitar que o quadro se torne crônico.

A "verdadeira" dor no ombro é aquela em que o sintoma permanece localizado ao seu redor, não ultrapassando o limite do cotovelo. Quando a dor se irradia até a mão, deve-se fazer uma investigação clínica da coluna cervical, pois a causa primária pode estar nessa região e não apenas no ombro.

No âmbito da metafísica da saúde, a dor no ombro representa os ferimentos emocionais causados na expressão dos sentimentos e manifestação dos seus desejos. As tarefas são devidamente cumpridas, porém sem a apreciação quanto ao jeito que é feito. As obrigações sufocam os sentimentos, provocando frustrações.

Mesmo fazendo algo de que gostamos, não praticamos as atividades preferidas de forma agradável. Não podemos manifestar livremente as nossas vontades, tampouco temos espaço no meio para expor os mais caros sentimentos. Falta-nos autonomia para passar de uma situação para outra, sem provocar algum tipo de conflito. Quando deixamos de fazer algo para nos dedicar a outras tarefas, somos criticados e cobrados por aqueles que nos cercam.

A turbulência interacional compromete a mobilidade no meio. Para evitar os conflitos, a pessoa prefere abrir mão de algumas vontades ou reprimir a sua dinâmica e passa a atuar de acordo com o tempo do outro, desrespeitando o seu ritmo de atuação.

Nesse caso, o respeito aos outros vem acompanhado da negligência a si próprio. Em nome dos sentimentos aos outros, a pessoa desrespeita a si, provocando um distanciamento da fonte interior, essa lacuna compromete o afeto e acaba com o carinho, transformando-se em irritação e desamor.

O contrassenso nessa atuação é que os gestos para poupar o sentimento tornam-se obstáculos para o amor. Em vez de se aproximar com a abnegação, a pessoa distancia-se daqueles a quem ela quer bem.

Para tornar um momento agradável, não queira agradar aqueles que o cercam, respeite a si. Não considere apenas os outros, procure se incluir nas decisões que serão tomadas, para viabilizar o andamento das atividades de todos. Desse modo, não ocorrerá desrespeito a ninguém, tampouco desconfortos e abandono a si mesmo.

BURSITE

Escravo das obrigações.

Bursite é uma inflamação da bursa (bolsa com líquido) cuja função é proteger os tecidos ao redor das articulações. A bursa está presente nas principais articulações do corpo, tais como: no ombro, no cotovelo, no quadril e no joelho. Todas essas articulações podem ser afetadas pela bursite.

Os sintomas da bursite nos ombros começam com leve dor ou perda mínima da força e da mobilidade do braço e dificuldade para levantar o braço acima da cabeça. Com a evolução do quadro, ocorre o aumento da dor e da limitação dos movimentos.

No âmbito da metafísica da saúde, a bursite significa que estamos internalizando as exigências do meio e nos sujeitando aos critérios ou ao formalismo, prejudicando a espontaneidade. Quando temos muito a fazer e poucas possibilidades para executar as tarefas, somos tomados pela frustração. Geralmente os nossos potenciais superam aquilo que realizamos; afinal, sabemos mais, sentimos mais, porém a realidade restringe a manifestação dos conteúdos internos.

A vida é uma espécie de redutora dos potenciais. Precisamos criar estratégias e buscar maneiras aceitáveis para expor o que sentimos e fluir em meio às restrições e às adversidades oferecidas, tanto pelas pessoas ao redor quanto pelas situações do meio. Essa mobilidade constitui as diversas formas de expormos o que sabemos e sentimos.

A arte de viver consiste na exteriorização dos conteúdos inerentes ao Ser. Ao lidar com os acontecimentos de forma a expor os talentos, tornamos a experiência gratificante, alcançando a realização pessoal na vida.

As conquistas materiais são momentâneas, enquanto os laços afetivos são duradouros. Geralmente despendemos mais energia para as situações materiais do que para as questões que envolvem a vida afetiva. Esses movimentos direcionados às obrigações diárias esgotam as nossas forças e as respostas obtidas não são suficientes para reporem as energias gastas.

É um círculo vicioso, tão logo atingimos uma meta, surgem outras necessidades, tornando a nossa atuação incessante; não paramos nunca. Por um lado, isso é bom, pois nos mantém ativos e em constante renovação; por outro, o esgotamento é grande, causando prejuízos nos relacionamentos com as pessoas queridas. As relações ficam abaladas, provocando lacunas afetivas, que pesam negativamente nos momentos em que estamos sozinhos. Esse vazio interior não é preenchido com nada daquilo que conquistamos materialmente.

Os retornos obtidos pelo investimento na vida afetiva são perenes e reconfortantes. O fortalecimento dos laços afetivos, além de revigorar as forças, nos preenche emocionalmente.

Quando o afeto é tolhido e as frustrações predominam, criamos "couraças" emocionais. Passamos a agir de maneira automática e fria, tornando-nos escravos das obrigações. Essa conduta compromete as articulações do ombro, causando a bursite e outras doenças.

Para reverter o processo, no âmbito da metafísica da saúde, faz-se necessário resgatar a liberdade e a boa desenvoltura para expor os sentimentos, fluindo naturalmente, com leveza e suavidade, além de recuperar os talentos que se encontravam distantes das nossas ações.

Vale ressaltar que não perdemos os nossos potenciais; eles são negligenciados e/ou bloqueados, mas não são extintos. O resgate da amabilidade proporcionará melhor empenho, com menor desgaste, recheando a existência de componentes agradáveis. Assim, em vez de vivermos em busca de resultados promissores, fazemos valer a pena o simples fato de atuar naquilo que nos diz respeito.

LESÃO OU TENDINITE DO MANGUITO ROTATOR

Engessamento afetivo.

O manguito rotator é um músculo que circunda praticamente todas as articulações do ombro, unindo a escápula ou omoplata (osso achatado localizado na parte posterior do tórax) ao úmero (osso do braço).

A lesão é um estiramento ou ruptura do músculo provocada pelas atividades esportivas ou movimentos que exigem força no levantamento do braço. Também é decorrente do desgaste provocado por postura inadequada, envelhecimento, acidentes e outros.

A tendinite é um processo inflamatório, em que, ao longo do tempo, o músculo cicatriza esse processo inflamatório, provocando dores e até a degeneração do manguito rotator.

A dor provocada por essas doenças é mais bem suportada durante o dia. Com o braço para baixo, na posição favorável à gravidade, e sem tentar levantá-lo, não oferece nenhum tipo de impacto ou tensão sobre o músculo afetado. Durante o sono, a dor se instala e informa a musculatura, em virtude de a posição do corpo na cama oferecer certa tensão; ainda que não haja movimento, basta a posição do corpo deitado para o sensível aumento da dor.

No âmbito da metafísica da saúde, as lesões do manguito rotator estão relacionadas aos prejuízos afetivos nas atividades desenvolvidas. Os afazeres sufocam a ternura e a docilidade. A pessoa rompe consigo mesma, torna-se negligente com os seus sentimentos; consequentemente deixa de ser carinhosa e compreensiva com aqueles que a cercam.

Ela não se sente no direito de ter prazer enquanto cumpre as obrigações. Projeta a sua felicidade para o futuro; somente quando concluir suas obrigações se permitirá ter prazer.

Obviamente, atingir os objetivos, além de gratificante, é materialmente rentável, no entanto pode comprometer os laços afetivos, tornando a conquista em vão. Nenhuma vitória compensa as perdas emocionais.

Durante o desenvolvimento das habilidades e conquistas materiais, devemos encontrar um ponto de equilíbrio com a vida pessoal. O desenvolvimento das habilidades e as conquistas materiais devem ser conciliados com a vida pessoal. Devemos valorizar o companheirismo e o afeto, pois eles representam significativos ingredientes para a verdadeira realização pessoal na vida.

A tendinite do manguito rotator, segundo a metafísica da saúde, está relacionada à frieza e à indiferença em relação aos próprios sentimentos. Cobranças e exigências excessivas são comportamentos nocivos para os relacionamentos inter-pessoais, elas comprometem os laços amorosos e distanciam--nos das pessoas amadas.

A formalidade, a frieza e a indiferença são componentes nocivos em todas as modalidades, sejam elas nas atividades em que desempenham, sejam principalmente nos relaciona-mentos. O que antes era motivo de satisfação agora se torna obrigações, que são cumpridas de maneira automática e sem os encantos que sempre existiram.

Dentre os fatores que provocam essa inversão de valores, destacam-se: o medo do fracasso, do que os outros vão pensar a seu respeito; o temor pelas expectativas alheias sobre si; e a autocobrança. Esses componentes interiores "engessam" a desenvoltura e prejudicam a expressão da afetividade.

Para resgatar a saúde faz-se necessário transformar as obrigações em opções prazerosas, voltar a apreciar a execução das atividades e ter a consciência de que a realidade presente é fruto das próprias escolhas. De uma forma ou de outra, as decisões tomadas no passado resultaram nas situações presentes. Ninguém é vítima de infortúnios, mas, sim, de si mesmo, ou seja, da maneira exacerbada de lidar com os inconvenientes da autocrítica e da autorreprovação.

Vale lembrar que apurar a consciência, tornando-nos mais receptíveis e sensíveis às situações do meio, resgata o elo com a ternura e a afetividade. A meiguice e a delicadeza na expressão são condutas saudáveis para as articulações do ombro.

COTOVELO

Senso de espaço no meio e postura acolhedora.

O cotovelo é uma articulação em dobradiça, que flexiona o braço para dentro, em direção ao tórax ou para cima. Fazem a junção de três ossos: úmero, ulna e rádio.

No âmbito da metafísica da saúde, essas articulações referem-se à capacidade de acolhimento das pessoas estimadas. Trata-se de uma atitude de proximidade afetiva; o ato de ser receptível e maleável para lidar com as diferenças comportamentais dos outros.

Antes de nos lançarmos para executar algo no meio, o cotovelo refere-se à capacidade de voltamos para dentro de nós para fazer aquilo de que temos vontade e que condiz com o que sentimos. Simultânea a esse recolhimento, existe a flexibilidade para aceitar as situações ou as pessoas estimadas, sendo elas como são e não como gostaríamos que fossem.

Os critérios impostos por nós a respeito de uma situação ou de alguém interferem negativamente na interação harmoniosa. Os outros têm um jeito próprio, o fato de existir a afetuosidade favorece a aceitação das diferenças, rompendo as barreiras do isolamento.

A busca pela proximidade ao outro é movida pelo desejo de se preencher afetivamente, essa motivação faz com que nos tornemos tolerantes às diferentes atitudes e comportamentos.

Em vez de fazer algo para mudar o mundo exterior, a articulação do cotovelo também sugere reformulações internas. Se gostamos de alguém, precisamos encontrar uma maneira de acatar o seu estilo, em vez de impor os nossos critérios para moldar o outro de acordo com o que gostamos.

Essa articulação localiza-se no meio dos braços e o seu movimento possibilita a aproximação para o centro do peito. O ato de abraçar representa trazer a pessoa estimada para o seio das nossas emoções, reduto no corpo de percepção e manifestação da ternura.

Pratique a terapia do abraço. Comece a perceber mais o outro e simplesmente sentir, sem criticar, tampouco impor critérios de condutas. Deixe o afeto banhar as suas percepções. Esse ato rompe as barreiras impostas pela razão, pelos critérios excessivos, pela indiferença e pelo ostracismo emocional. Esses componentes internos levam ao isolamento, dificultando a interação harmoniosa com o ambiente e com as pessoas. Abraçar representa se libertar e ampliar os horizontes do próprio Ser.

O amor transforma quem ama e não a pessoa amada. Quem recebe o amor é banhado pelo sentimento puro que dá a ele a chance de despertar os seus sentimentos. Caso também venha a sentir, será beneficiado por esses conteúdos positivos que emanam da alma e dão sentido à vida, modificando a própria existência.

Outra questão metafísica relacionada ao cotovelo corresponde ao movimento de abrir os braços, ampliando o espaço ocupado pelo corpo. Por meio desse movimento, melhoramos a nossa penetração no ambiente graças a uma boa desenvoltura. A forma de nos propagarmos diante dos outros é compatível com a articulação. Melhor dizendo, não usamos a truculência da força física, mas, sim, outras formas de expressão, como a verbal, por exemplo. Existe um dito popular que expressa essa condição: "falar pelos cotovelos". Aumentamos o campo de penetração e de participação nas situações ao redor de maneira leve e suave e sem ofender os outros, apenas assumindo a dimensão condizente aos nossos talentos.

A articulação do cotovelo também realiza movimentos de giro do antebraço, denominado "pivotar", essa manobra possibilita inverter a posição das palmas das mãos.

No âmbito da metafísica da saúde, esse movimento giratório expressa a capacidade de reverter uma situação, transformando um episódio ruim em algo bom. Trata-se da ótica positiva, acreditando que existe uma razão de ser para os acontecimentos, mesmo aqueles desastrosos. De alguma forma, eles promovem significativas mudanças, contribuindo para o aprimoramento pessoal. Pode-se dizer que o mal é o bem, mas interpretado incorretamente. Os acontecimentos não são tão maus quanto parecem. Essas atitudes possibilitam ver com "bons olhos" até mesmo os episódios infelizes.

Geralmente, os maiores abalos emocionais consistem na desilusão. Essa, por sua vez, tira-nos da zona de conforto em que permanecemos iludidos em vez de proceder de maneira a transformar as situações desagradáveis. De alguma forma, permanecemos na ilusão de que, com o tempo, vão passar ou que alguém vai sanar as nossas dificuldades, sem que tenhamos de encarar os prejuízos e procurar novos meios.

Para preservar a saúde desse movimento das articulações do cotovelo, não se pode deixar abater com os acontecimentos decepcionantes, a ponto de desistir dos objetivos ou de se deprimir. Faz-se necessário buscar forças dentro de si e transformar o que não está bem. Caso seja impossível modificar as situações presentes, dedique-se a buscar novas diretrizes. Tomar novos rumos revigora as forças e amplia as possibilidades de ser feliz e realizado na vida.

Dentre os eventos físicos mais comuns que envolvem o cotovelo, destacam-se: os esbarrões, as batidas e as dores.

BATER O COTOVELO

Conflito com as limitações do ambiente

Quando esbarramos e machucamos o cotovelo ou batemos com relativa frequência, significa metafisicamente conflitos com episódios desagradáveis. Trata-se de eventos que evidenciam as limitações que restringem as manifestações no meio.

Diante das adversidades devemos buscar os meios de adaptação ou de modificação e não acentuarmos os atritos, enaltecendo os inconvenientes. Rebelar-se contra as situações não as modifica, ao contrário, complica ainda mais e provoca sofrimentos desnecessários nos outros e em nós mesmos. Sejamos mais assertivos e menos intolerantes.

Existem duas maneiras distintas de reagir aos episódios ruins: fazer drama ou ficar indiferente. A reação dramática aumenta os conflitos e a indiferença é uma forma de negação que, além de não resolver, cria uma espécie de aprisionamento do potencial transformador.

Para evitar os esbarrões, as batidas e os ferimentos no cotovelo, devemos nos comportar de forma a impedir os atritos e as provocações; ser mais complacentes com os outros e compreensivos em relação ao que se passa ao redor; agir de maneira inteligente, poupando energia e viabilizando os meios para solucionar as confusões.

DOR NO COTOVELO

Inferioridade perante os outros.

Fisiologicamente, a dor no cotovelo pode ocorrer por causa de tendinite, inflamação, lesão dos tendões, batida ou queda etc.

Essa é uma expressão usada no senso comum, cujo significado envolve basicamente a inveja. No âmbito da metafísica da saúde, representa frustrações por não fazer parte dos momentos agradáveis, tampouco gozar dos direitos e dos privilégios do ambiente.

Esse quadro emocional é compatível com a inveja. Trata-se de um sentimento de apropriação daquilo que almejamos e ainda não alcançamos. A inveja se torna negativa quando nos sentimos incapazes de obter o que o outro tem, despertando o desejo de vingança. Passamos a desejar a destruição das conquistas alheias; nesse caso, a inveja expressa a nossa incompetência.

Por outro lado, a inveja pode ser positiva, quando a identificação externa do que desejamos ascende o desejo de conquista. Os resultados promissores dos outros se tornam exemplos favoráveis à conquista dos nossos anseios. Esse estado é desperto quando nos sentimos merecedores e bons o bastante para atingir os nossos objetivos.

Diante dos tropeços, devemos nos dedicar para reverter a situação, romper as barreiras internas de interação com o meio e reagir com empenho e determinação. Todas as nossas vontades poderão ser alcançadas se nos reinventarmos e adotarmos novas condutas que produzem melhores resultados.

Supere a dor física do cotovelo com novos modelos de atuação. Considere os seus pontos fortes e promova o reconhecimento das habilidades realizadoras, ampliando os horizontes de manifestação do carinho e da ternura.

Lembre-se, a melhor estratégia para alcançar os objetivos existenciais não é fazer uso da força de maneira truculenta, mas, sim, fortalecer-se interiormente, sentindo-se bom o bastante e merecedor do que almeja.

PUNHO

Habilidade realizadora.

Também conhecidos como pulso, o punho e a mão são as partes mais ativas dos membros do corpo. As articulações do punho são formadas pelas extremidades do osso do rádio com os ossos das mãos. O punho permite destreza e ampla mobilidade para o manuseio.

Além de realizar variados movimentos, essas articulações oferecem sustentação emocional para a execução das atividades manuais e flexibilidade para encontrar a melhor maneira de desenvolver as tarefas cotidianas.

Muitas vezes, a busca de soluções definitivas de uma situação-problema permeia acertos e erros. Esses dois pontos norteiam as nossas ações. Acessamos os aprendizados anteriores e usamos os recursos próprios, mas nem sempre são suficientes. Frequentemente precisamos recorrer à ajuda dos colaboradores e, não raro, encontramos nos outros maneiras mais eficientes de realizar as atividades. É justamente nesse momento que precisamos ser flexíveis no exercício das tarefas, onde entra a concepção metafísica do punho.

Nem sempre a maneira mais apropriada é a que conhecemos. Em certos momentos, precisamos ser maleáveis e aceitar a contribuição dos outros para promover dinamismo e assertividade nas tarefas cotidianas.

A questão metafísica principal não é ser capaz de desempenhar uma tarefa, mas aprender algo com os outros que venha a facilitar a realização das tarefas. Esse movimento interno eleva a performance realizadora. Pode-se dizer que a segurança nas ações advém da capacidade de adquirir novos aprendizados, não somente das experiências acumuladas, uma vez que, em tudo que é dinâmico, precisamos acelerar o desempenho, angariando recursos exteriores, somando o conhecimento alheio à nossa bagagem.

Pode-se dizer que a pessoa mais hábil e eficiente é aquela que sabe receber ajuda dos outros, consequentemente, ela está aberta a outras alternativas para executar as atividades.

A saúde do punho, metafisicamente, consiste em acatar o que vem de fora, inovar a maneira de executar as tarefas, sem perder o estilo próprio de atuar. É como se empunhássemos um instrumento diferente para executar uma tarefa que sabemos realizar, como um artista plástico, por exemplo, que empunha os pincéis, envolve-os com as cores da paleta.

Ele contorna os traços da tela e seleciona as cores de acordo com o seu senso artístico, mas usando tipos de pincéis diferentes ou mais apropriados a certos desenhos, o que facilita o seu trabalho. O fato de usar pincéis diferentes ou apropriados não tira dele o senso artístico, apenas favorece a produção da sua obra na tela.

DOR NO PUNHO

Romper consigo mesmo durante a atuação.

É também conhecido como pulso aberto, que é uma expressão genérica para designar a dificuldade de realizar movimentos das mãos e fazer força. Geralmente, esse sintoma é provocado por lesões ou esforço intenso.

No âmbito da metafísica da saúde, refere-se ao excesso de concessão aos outros, seguido da perda de referência durante a realização das atividades.

O excesso de solicitude ou abertura aos outros pode provocar a negligência ao nosso próprio estilo. Perdemos a referência na atuação, chegamos a ponto de questionar se o que fazemos é algo de que gostamos ou se é o que agrada os outros. Pode-se dizer que o mundo nos encanta e os outros nos seduzem a fazer de um jeito que não é o nosso preferido.

Abrimos mão das atividades prediletas em virtude das solicitações alheias. Comprometemos o foco principal das atuações em detrimento das demandas exteriores. Somos massacrados pelas atividades a ponto de nos desconectarmos das vontades próprias, não damos conta de realizar o que nos cabe. Rompemos com os nossos valores e a cumplicidade com os afazeres.

Para resgatar a saúde do punho, faz-se necessário, metafisicamente, resgatar o estilo original de atuação. Mesmo acatando o jeito do outro, não devemos abandonar o nosso estilo, tampouco o ritmo com que executamos as atividades. Devemos ser pontuais naquilo que nos cabe e tolerantes com o que diz respeito ao outro. Lembre-se, somos responsáveis por nós e por aquilo que realmente nos cabe e não pelo que assumimos indevidamente.

SÍNDROME DO TÚNEL DO CARPO

Falta de flexibilidade na execução das tarefas.

O túnel do carpo é uma cavidade na região articular do punho, por onde passam os músculos, os tendões e os nervos que promovem a sensibilidade e os movimentos das mãos e dos dedos.

A síndrome do túnel do carpo é uma doença caracterizada pelo estreitamento das cavidades do punho, provocado por inflamações que comprimem os tendões e os nervos do punho. Dentre o conjunto de sintomas, destacam-se: dormência, dor e fraqueza nas mãos. Em geral, a dormência é um sintoma inicial da doença; ela é mais comum durante a noite. Com a evolução do quadro, esse sintoma começa a ocorrer durante o dia, principalmente em atividades como segurar objetos a uma certa altura, tais como o volante do automóvel, aparelho de telefone, secador de cabelos etc.

No âmbito da metafísica da saúde, refere-se ao comportamento "metódico" na hora de executar as tarefas. A pessoa torna-se sistemática, apresentando dificuldade em acatar opiniões alheias acerca de suas atividades. Não permite ser ajudada, prefere fazer as atividades do seu jeito, ainda que seja dispendioso, tornando o trabalho árduo. Sua resistência ao novo é visível quando se encontra diante de situações que requerem mudanças e atualizações.

A tecnologia, por exemplo, favorece o exercício de várias funções, no entanto a adesão das pessoas às inovações tecnológicas acontece de maneira lenta e gradativa, seguida de inúmeras resistências. Ao aprender a realizar as tarefas de um jeito, a pessoa prefere fazer sempre de forma igual. Mesmo surgindo maneiras mais fáceis, que dinamizam as atividades, não se dispõe a praticá-las, quer repetir o mesmo jeito de sempre.

As mudanças são encaradas como manobras que desestabilizam as suas atividades. Prefere ficar acomodada, fazendo aquilo de que tem pleno domínio a se arriscar em novos procedimentos sobre os quais não tem habilidade; e, ainda, pode piorar o andamento das tarefas. Qualquer mudança é vista como sacrifício; prefere boicotar em vez de incentivar a aplicação dos novos métodos.

Enquanto as atividades permanecerem estagnadas ou a atuação não tiver demanda transformadora, o fato de continuar agindo da mesma forma não causa maiores problemas. No entanto, se as tarefas passarem por processos de atualizações, surgem os conflitos relacionados ao aperfeiçoamento.

Por outro lado, caso não haja necessidade de inovação, permanecer na zona de conforto não provoca nenhum tipo de conflito. No entanto, quando a realidade trouxer mudanças e os conflitos de adaptação se intensificarem, isso poderá disparar o gatilho somático. A síndrome do túnel do carpo é a principal somatização desse tipo de conflito.

Somático ou somatização refere-se à transferência dos estados mentais e emocionais para o corpo. Segundo a visão da metafísica da saúde, os nossos padrões, conflitos e outros processos internos causam as doenças no corpo.

A síndrome do túnel do carpo expressa o engessamento de conduta, que inviabiliza a realização de novas tarefas. Esse comportamento é tão comum no público em geral, que existem algumas empresas que evitam admitir pessoas que trabalharam em organizações concorrentes. Elas alegam que esses funcionários trazem certos vícios, que inviabilizam o trabalho nos moldes de atuação da equipe.

Um simples exemplo dessas situações dentro de um ambiente corporativo é o do funcionário que se habituou a digitar informações. Quando se depara com o novo método de copiar os dados de um programa e colar em outro, visando poupar tempo e evitar erros de digitações, ele insiste em continuar digitando um a um. Obviamente poderia preservar o seu estilo, realizando esse procedimento da maneira preferida, seja com a função do teclado, seja com a do mouse, aquilo que for mais confortável. Porém, deve aderir à nova conduta de trabalho.

Pode-se dizer que é mais fácil aprender uma nova tarefa do que inovar o desempenho daquela que já sabe. Metafisicamente, resistir ou boicotar a tarefa apreendida é nocivo para o túnel do carpo.

Para reverter esse quadro, metafisicamente, será necessário baixar a resistência, ser maleável e disposto a aprender os novos meios, deixar de ser tão sistemático naquilo que faz.

Vale lembrar que os comportamentos rígidos na execução de tarefa se estendem também aos relacionamentos com os colegas de trabalho e com os entes queridos. Sem se dar conta, a pessoa age com certas grosserias e estupidez, magoando aqueles que estão a sua volta. A sua teimosia esgota o nível de tolerância, dificultando a convivência em grupo.

A maleabilidade nas tarefas deve-se estender também aos seus relacionamentos, adotando comportamentos de ternura e docilidade. Fluir suavemente na vida, tornando-se menos teimoso e mais condescendente, além de favorecer o desenvolvimento das atividades, contribui significativamente para resgatar a saúde do túnel do carpo.

ARTICULAÇÕES DO QUADRIL

Independência e boa fluidez.

A articulação do quadril permite realizar os movimentos da coxa. É formada pela cabeça do fêmur (osso da coxa) e o osso do quadril. A membrana que reveste essa articulação, denominada cápsula, é uma das estruturas mais resistentes do organismo; oferece sustentação para o peso do corpo e proporciona a mobilidade necessária para o equilíbrio e o movimento.

No âmbito da metafísica da saúde, representa a nossa flexibilidade para lidar com as adversidades do cotidiano, com a força interior, que independe das situações favoráveis ou desafiadoras do meio. Trata-se do famoso "jogo de cintura", que todos temos, mas nem sempre praticamos quando estamos lidando como as situações inusitadas do cotidiano.

Essa forma aprimorada de proceder exige inteligência emocional a serviço da conquista do que almejamos. Contornamos as dificuldades, usando a habilidade integradora, administramos as adversidades com o mínimo de desconforto. Esse manejo existencial evita abalos emocionais e prejuízos na mobilidade do corpo.

A articulação do quadril reflete a satisfação obtida nos movimentos da vida, preservando o contentamento em relação ao que acontece ao redor. Mesmo diante dos acontecimentos ruins, devemos preservar o bom humor e procurar maneiras de administrar as adversidades, para atingir os objetivos existenciais.

Fisicamente, as articulações do quadril proporcionam a mobilidade do corpo; metafisicamente elas refletem a condição emocional e a consistência interior necessária para administrar as vontades, ante as contrariedades do ambiente. Essa capacidade interna equivale à firmeza, persistência e determinação, que evitam os abalos provocados pelos obstáculos do ambiente. Para favorecer a desenvoltura corporal, faz-se necessário fortalecer o autoapoio. Essa qualidade é desenvolvida mediante a atenção dirigida mais a nós mesmos e à execução das tarefas do que às opiniões alheias. O que mais enfraquece essa qualidade é a preocupação excessiva com os outros e o medo do que vão dizer a respeito do nosso desempenho.

DOR OU PROBLEMAS NO QUADRIL

Medo de não ser assertivo nas atividades.

Nem sempre a dor sentida no quadril é originada nele. Problemas de coluna, no osso do fêmur e outros órgãos refletem nessa região. Dentre as causas físicas, destacam-se: fraturas, artrite, artrose, dores lombares etc. Para ampliar a compreensão dos significados metafísicos, leia também nesta série Metafísica da Saúde (volume 5) a causa diagnosticada clinicamente.

No âmbito da metafísica da saúde, os problemas na região do quadril, de modo geral, estão relacionados com o profundo desconforto e insatisfação na interação com a realidade. Nem sempre conseguimos manter o dinamismo e a boa desenvoltura diante dos grandes obstáculos; sejam no seio da família, na relação conjugal ou na área profissional, sejam de ordem socioeconômica. Trata-se de situações impeditivas, que abalam a convivência ou mesmo a concepção de um futuro promissor.

A vida parece pregar algumas "peças", são aquelas surpresas que surgem de forma impeditiva, impossibilitando a realização dos ideais. Às vezes, isso se torna tão intenso que podemos considerar como "bordoadas existenciais". Somos surpreendidos com as adversidades e não sabemos lidar com esses inconvenientes, a ponto de ficarmos "perdidos" e desorientados na trajetória. Existem acontecimentos que recaem sobre nossas vidas e aniquilam as expectativas promissoras, inviabilizando os nossos sonhos.

Para afetar o quadril, não basta a mera adversidade, mas, sim, os eventos significativos que desmoronam os planos.

Perdemos a orientação e ficamos sem rumo, sem saber ao certo como proceder. A falta de assertividade e os resultados desastrosos afetaram a mobilidade física e principalmente a coragem e ousadia.

Mesmo os problemas consideravelmente grandes, os maiores agravantes são as dificuldades internas para lidar com eles. Faltam recursos, tais como a segurança e a fé; com esses fatores, a habilidade é adquirida durante o envolvimento com os eventos existenciais.

Além disso, ficamos irredutíveis em certos aspectos, não abrimos mão de algumas vontades ou metas, comprometendo a interação com o meio. Isso gera conflitos, tornando sofrida a atuação no ambiente.

A maleabilidade em relação ao que está em torno, seja aos outros, seja às situações momentâneas, favorece a trajetória rumo aos nossos anseios. Também evita conflitos desnecessários, tornando mais agradável a realização das nossas atividades. Essa atitude é saudável para as funções articulares do quadril.

JOELHO

Recuo estratégico e aprendizado com as situações repetitivas.

O joelho é a maior e a mais complexa articulação do corpo; em uma única cavidade existem algumas estruturas para dar sustentação ao corpo e aos movimentos. Ele faz a junção dos três ossos da perna: do fêmur, da tíbia e da fíbula. É composto por tendões musculares, ligamentos articulares, bolsas sinoviais, meniscos e patela.

Os tendões executam os movimentos; os ligamentos favorecem a junção óssea e cruzam a cápsula para dar apoio ao peso; as bolsas sinoviais armazenam o líquido que auxiliam a reduzir o atrito; o menisco é formado por cartilagem que ajuda a distribuir o peso pela articulação; a patela, localizada à frente do joelho, favorece os movimentos da perna.

Essa articulação é adaptada para absorver os impactos da caminhada, dos movimentos de subir e descer escadas e outros. O seu principal tipo de movimento é chamado de dobradiça, por mover a parte inferior da perna para trás.

No âmbito da metafísica da saúde, os joelhos estão relacionados com duas qualidades do Ser. A primeira é a capacidade de voltar atrás em alguma decisão tomada ou de se retratar com os outros, admitindo estar equivocado. A segunda é retomar as experiências anteriores e vivenciar tudo novamente.

Admitir os insucessos de outrora é uma importante medida para rever as decisões e as direções tomadas. Conforme o primeiro conteúdo metafísico dos joelhos, de retomar os passos anteriores, isso favorece tanto a promoção de mudanças quanto a elaboração do ocorrido, tomando novos rumos para melhorar as respostas existenciais.

Quando os resultados não forem promissores, faz-se necessário rever as condutas e se sujeitar às concepções, que diferem das próprias vontades. Admitir, por exemplo, que as nossas ações não são corretas requer abrir mão do que considerávamos verdadeiro e adotar outras medidas. Em alguns casos, a solução vem de onde menos imaginamos.

Ao admitirmos outras possibilidades, dispomo-nos a inovar, ampliamos os horizontes de atuação no mundo, aumentando a chance de sucesso. Para tanto, é necessário reconhecer os próprios limites, esse é um gesto de humildade. Uma pessoa humilde não é aquela que se inferioriza, mas, sim, aquela que tem justo reconhecimento tanto dos seus potenciais quanto das suas dificuldades.

O segundo conteúdo metafísico relacionado aos joelhos, de se deparar com as mesmas situações ocorridas no passado, leva-nos a pensar: eis que a história se repete. Quando a vida reproduz no presente as mesmas situações de outrora, significa que os conteúdos essenciais de aprendizado não foram devidamente compreendidos na ocasião. Nesse caso, a repetição do cenário é uma oportunidade para ampliar a bagagem de experiência e obter resultados mais agradáveis do que aqueles adquiridos anteriormente.

É mais fácil interagir com os eventos conhecidos e desenvolver-se por meio deles do que acostumar-se com o novo, para depois extrair o aprendizado. Em vez de ficarmos indignados com a repetição dos eventos, devemos encará-la como uma nova chance de aprimoramento interior. Sobretudo, é uma oportunidade de fechar os ciclos abertos no passado e de encerrar o que, de alguma forma, estava em aberto.

Além desses dois conteúdos relacionados a essas articulações, devemos considerar o movimento de flexionar o joelho para ajoelhar. No âmbito da metafísica da saúde, esse gesto representa a atitude de rebaixar o ego e comungar com novas possibilidades, que vão além daquilo que a mente concebeu como verdadeiro. Contrário ao que se imagina, o rebaixamento do ego não tem a ver com inferioridade, mas, sim, com a promoção do Ser; trata-se de uma conduta de elevação e nobreza.

O dito popular "quem cede, maior fica" exprime essa condição em que, tão logo constatamos as limitações dos recursos internos, devemos recorrer a outras fontes para ampliar as nossas possibilidades.

Essas qualidades metafísicas relacionadas aos joelhos, de integração com os fenômenos que reproduzem o passado e de voltar atrás nas decisões tomadas, são contrárias ao orgulho. Esse representa a cisão com os fenômenos presentes, com a melhor estratégia para agir, com as sugestões dos outros e com as inspirações do universo. Uma pessoa orgulhosa insiste naquilo que é inviável e resiste em acatar novas maneiras de agir ou de conceber os fenômenos.

As religiões abominam o orgulho, visto que ele é contrário a um dos principais fatores da religiosidade, que é o de religar-se ao universo ou ao divino. O próprio ato de se ajoelhar representa render-se às normas religiosas; abrir mão do ego e acatar um conceito global das questões.

Os problemas nos joelhos estão relacionados com as seguintes dificuldades: de voltar atrás; de admitir o que está em torno e acatar o que a realidade impõe; de conectar-se com as forças universais, para agir de maneira diferente das concepções psíquicas previamente estabelecidas. De certa forma, esses conflitos estão relacionados com o orgulho, que consiste na cisão tanto com o ambiente quanto consigo mesmo.

Uma pessoa orgulhosa vive numa espécie de isolamento disfuncional, pois a sua resistência de interagir com aqueles que comungam da mesma trajetória que ela e poderiam ser bons aliados deixa-na sozinha. Como ela não possui uma ordenação emocional, estruturada em si mesma, prejudica o bom andamento dos seus projetos. É preciso desenvolver o senso de comunhão ou colaboração e não de competição ou de negação. Em certos momentos, os recursos emocionais angariados dos outros minimizam possíveis transtornos e favorecem a realização dos objetivos.

As articulações dos joelhos são fundamentais para a mobilidade de corpo. Quando elas são afetadas, interferem diretamente na marcha. Metafisicamente, referem-se à difícil movimentação pela vida. A pessoa não preserva a sua determinação, rompe com os seus objetivos ou se atrapalha com as situações a sua volta. Por outro lado, a obsessão por um ideal impede a interação com o que acontece ao seu redor.

No vaivém do processo, a boa desenvoltura depende da ressignificação das vivências. É preciso rever os conceitos; reformular as crenças; renovar as suas condutas; despojar-se dos insucessos; dispor-se a começar tudo novamente; dar novas chances aos outros e também a si mesmo. A saúde dos joelhos consiste principalmente em fluir de acordo com a tendência natural do processo.

Além desses aspetos metafísicos apresentados aqui, sugerimos a leitura dos temas a seguir: menisco e patela; haja vista serem tecidos que compõem as articulações dos joelhos, apresentando aspectos específicos, que reforçam a consciência das causas metafísicas dos problemas nos joelhos.

MENISCO

Habilidade para acatar o conhecimento alheio.

O menisco é uma cartilagem com formato de lâminas alongadas como um disco, que cobre a superfície dos três ossos que fazem junção nos joelhos (fêmur, tíbia e fíbula). Seu papel é fundamental na distribuição das forças; proporciona estabilidade às articulações dos joelhos e absorve o impacto.

No âmbito da metafísica da saúde, essa cartilagem refere-se à habilidade integradora, melhor dizendo, à capacidade de aprender com as pessoas que estão ao redor, adotando um espírito de colaboração e não de competição com aqueles que caminham ao nosso lado.

Devemos ser flexíveis para acatar sugestões, evitando atrito de qualquer natureza. Os desentendimentos entre as pessoas surgem basicamente pela resistência às opiniões alheias. O desgaste emocional gerado pelas desavenças torna-se exaustivo e contraproducente. É mais fácil perceber que as coisas não estão funcionando bem do que mudar a opinião sobre o jeito de fazer tais coisas. Mais difícil, ainda, é admitir que os outros têm razão e que as sugestões deles são mais assertivas do que a maneira que atuamos. Reconhecer, por exemplo, que a verdade dos outros é mais substancial do que as nossas, esse é um ato de humildade que poupa energia e sofrimentos desnecessários.

A maleabilidade é um talento conciliador, que favorece as relações interpessoais e acrescenta aprendizado e novos meios de obter melhores resultados com menor desconforto.

Saber ouvir é uma arte que enaltece o indivíduo, ampliando os seus horizontes internos, com conteúdos das experiências alheias. A comunicação sintetiza o aprendizado e o transmite, passando ao interlocutor a bagagem extraída das situações vividas por outros. Portanto, o principal propagador desses conhecimentos é a comunicação.

A linguagem é carregada de símbolos, cujos significados são compartilhados pela população, sintetizando a vivência prática. A narrativa de uma situação permite que todos partilhem dela, favorecendo a experiência da coletividade. O principal valor da fala consiste na troca de experiências, para compartilhar informações e perpetuar conhecimentos.

Problemas no menisco, segundo a metafísica da saúde, representam a dificuldade de interação e da aceitação de opiniões alheias; bem como conflitos com o que gravita em torno de si. É uma espécie de cegueira às inconveniências. Por não saber lidar com as adversidades, a pessoa prefere negá-las para não sofrer.

Vale lembrar que o progresso é uma conquista que requer habilidades, que são adquiridas durante a trajetória, tornando-nos eficientes e pontuais nas ações presentes. A bagagem do conhecimento é uma espécie de riquezas que se revertem em resultados promissores e diminuem a chance de sofrer. Mesmo não possuindo os principais componentes do sucesso, esses surgem a nossa volta ou são passados por aqueles que nos cercam durante a trajetória. A sabedoria consiste em nutrir-se com essa bagagem, evitando sofrimentos desnecessários.

Recorrer ao aprendizado alheio tanto aumenta a chance de sucesso e nos fortalece na execução das atividades quanto preserva a saúde do menisco.

Por mais que as situações em volta não acrescentem conteúdos, é preciso contemporizar, para evitar desconfortos e atritos; mantendo a convivência harmoniosa e agradável.

PATELA

Projeção à frente e viabilização dos objetivos.

A patela é um pequeno osso triangular, localizado à frente dos joelhos, que favorece a flexibilidade dessas articulações. Ela aumenta a extensão dos movimentos e a força de tração, poupando as cartilagens do desgaste excessivo.

No âmbito da metafísica da saúde, ela refere-se à ampla mobilidade para a pessoa se lançar no processo existencial. Ter a certeza dos resultados e a convicção sobre as habilidades desenvolvidas ou aprendidas com as experiências ou com os outros.

Mesmo não possuindo todos os recursos necessários para sermos bem-sucedidos nas atividades, adquirimos o que falta enquanto trilhamos os caminhos. Melhor dizendo, podemos não estar prontos, mas temos condições de nos aprimorar durante o percurso.

A percepção do cenário atual não pode minar a confiança nos resultados almejados. Devemos manter acesa a chama da vontade que nos move rumo ao futuro, preservando as forças para seguirmos em frente e não esmorecermos diante dos eventuais tropeços ou das situações impeditivas.

A convicção nos faz ousar e "dar largos passos" na vida, sem sairmos do curso existencial. Como vimos anteriormente, interagir com o meio é necessário, principalmente para manter metafisicamente a saúde dos joelhos. Por outro lado, a patela representa a preservação das bases emocionais centralizadas em nós mesmos. Trata-se da capacidade de permanecermos firmes nos propósitos, sem nos atrapalharmos com os palpites e sugestões alheias.

Obviamente, ao pedirmos sugestões a alguém, nos enriquecemos com os conhecimentos alheios. No entanto, corremos o risco de abalar as nossas convicções e sermos impregnados pelos medos e incertezas que abalam a firmeza e determinação para seguir em frente e driblar os obstáculos.

A patela representa metafisicamente a preservação do próprio estilo e autorreferência para seguirmos adiante, sem sofrermos interferências que alterem o curso de nossas próprias escolhas.

Quando recorremos aos outros, pedindo alguma sugestão, corremos o risco de eles acharem que vão decidir por nós. Nessa hora é preciso esclarecer que estamos pedindo sugestões, para ampliar a nossa visão do cenário; isso não significa que lhes entregamos o poder de decisão; esse cabe exclusivamente a nós mesmos.

Problemas na patela representam metafisicamente: o abalo da certeza de seguir em frente; a confiança depositada mais nos outros do que em nós mesmos; a perda da autorreferência durante o curso da vida.

Faz-se necessário resgatarmos o poder de escolha e voltarmos às nossas origens; não nos deixarmos atrapalhar pelos outros; revermos o rumo de trajetória e não nos deixarmos perder diante das adversidades, tampouco nos deixarmos abater pelos obstáculos; sermos persistentes e determinados. Essa conduta revela a personalidade de um vencedor e também preserva a saúde da patela.

TORNOZELO

Novos rumos.

O tornozelo faz a junção da parte inferior da perna com o pé, ligando os ossos da fíbula (ossos da perna) com o tálus (ossos do pé). Essa articulação possibilita amplos movimentos do pé: rotação, inclinações laterais e outros. Os ligamentos dessas articulações são dispostos de maneira que eles armazenam energia quando o pé está apoiado no chão e a libera durante o passo, produzindo leve efeito de mola propulsora, que favorece a marcha.

No âmbito da metafísica da saúde, refere-se à maneira como lidamos com os rumos que os acontecimentos tomam, tanto nos novos caminhos quanto na maneira diferente de realizar nossos intentos. Precisamos ser maleáveis para lidar com as adversidades, sejam elas provenientes dos impedimentos do cotidiano, sejam decorrentes das nossas escolhas.

Ao nos depararmos com os eventos que inviabilizam determinado curso da situação, devemos ser firmes para mantermo-nos nossos próprios partidários e não nos entregarmos ao pessimismo, que leva ao desespero. Devemos ser firmes para encararmos as situações desfavoráveis aos novos rumos com garra e determinação; ser persistentes e não desistir no primeiro obstáculo. Por outro lado, não devemos agir de forma acirrada e com extremo rigor. O bom senso nesses momentos pede que sejamos cautelosos e perspicazes, investigando as novas dimensões dos eventos, sem abalar a convicção nos resultados favoráveis.

Fazer escolha implica assumirmos os riscos e principalmente sermos seguros, para não nos abalarmos com os imprevistos. Dentre as opções a serem feitas durante a trajetória existencial, destaca-se a de ser feliz ou a de agradar os outros. Dentre os principais componentes para a felicidade, destaca-se a opção por si. Ao nos tornarmos nossos partidários, podemos até desagradar alguém ou inviabilizar certos resultados; no entanto, esse movimento interior promove a realização pessoal. Já, sermos favoráveis aos outros pode até contribuir para os bons resultados, no entanto, rebaixa a autoestima e provoca sentimento de inferioridade.

O tornozelo fisiologicamente permite a acomodação do pé no desnível do solo durante a caminhada. Essa função equivale metafisicamente à capacidade de adaptação às variantes da situação. Ora os acontecimentos estão intensos e dinâmicos; ora são suaves, morosos ou até mesmo estagnados. A habilidade de nos acomodarmos a essas diferentes circunstâncias possibilita a integração harmoniosa com os mais variados eventos do cotidiano. Saber lidar com os altos e baixos momentâneos é imprescindível para a saúde e o bom desempenho dessa articulação.

PROBLEMAS NO TORNOZELO

Temor ao insucesso.

Dentre os principais problemas, destacam-se: dor, lesões e inchaço. Geralmente a dor é provocada por torções ou contusões decorrentes de impactos (saltos ou quedas em pé), que lesionam os ligamentos do tornozelo. Essa lesão causa inchaço e hematomas, dificultando a sustentação do peso do corpo e a caminhada.

No âmbito da metafísica da saúde, refere-se aos abalos emocionais provocados pelas adversidades do cotidiano. Quando os acontecimentos se mostram desfavoráveis, com possibilidades de insucesso, geram o medo de que algo saia errado. Diante dessas perturbações, ficamos indignados e desorientados, sem saber ao certo que medida tomar.

Em alguns casos, as pessoas respondem com aparente frieza e indiferença. No entanto, quando esses eventos precedem algum tipo de lesão no tornozelo, representa que elas se sentem abaladas emocionalmente. Mesmo sem esboçar qualquer tipo de indignação às recentes contrariedades, internamente não se integraram aos acontecimentos, tampouco continuaram com as mesmas convicções.

Durante a trajetória, surgem as "pedras no caminho". A maneira conflituosa de lidar com esses empecilhos e o sentimento momentâneo de revolta refletem no tornozelo, podendo provocar algum problema. Procure fazer dos tropeços um chamamento para reflexão e ponderação, não os encare de maneira tortuosa. Tudo é válido para quem sabe tirar proveito das adversidades e cresce com elas.

Outros fatores metafísicos que figuram as causas dos problemas no tornozelo são as opiniões contrárias ou as críticas.

Recebemos mal os comentários e ficamos sem saber o que fazer diante dos pontos de vistas diferentes e impeditivos para a realização dos nossos objetivos. Quando isso nos afeta e não conseguimos revidar diretamente, com medo de magoar os outros, reprimimos a nossa indignação. Não raro, valorizamos mais os comentários alheios do que aquilo em que acreditamos. Sentimo-nos agredidos, mas não falamos a respeito, permanecendo indignados; embutimos nossa intransigência, criando o padrão metafísico de acidente ou torção no tornozelo.

Devemos fluir de acordo com o andamento do processo, tomando as medidas necessárias para preservar o bom encaminhamento da situação. Não devemos deixar que as adversidades nos decepcionem prontamente e abalem a certeza de sucesso.

Nenhum acontecimento, necessariamente, é impeditivo; ele pode adiar nossos planos ou sinalizar a mudança de estratégia, mas, não, acabar com os sonhos. As adversidades nos convidam a revermos os nossos planos ou a tomarmos medidas cabíveis. Podemos administrar as ocorrências, se flexíveis, e não sofrermos por antecipação ou dramatizarmos o ocorrido.

Os ligamentos do tornozelo, metafisicamente, estão relacionados com a impetuosidade dirigida à realização dos nossos intentos, com a preservação do ritmo adequado para atingirmos os objetivos, bem como com a motivação para inovarmos ou fazermos novos experimentos.

Quando as lesões atingem esses ligamentos, isso representa que a pessoa tem sido negligente nas suas escolhas, rompendo com os seus propósitos existenciais. Além dos tratamentos clínicos ou medicamentosos, faz-se necessário, metafisicamente, retomar os princípios que o levaram a escolher o atual curso existencial, ser fiel às suas origens, abandonar o pessimismo, acreditar mais em si e persistir no seu propósito.

REUMATISMO

Negação dos talentos e vítimas de si mesmos.

Qualquer distúrbio doloroso das estruturas de sustentação do corpo, tais como dos músculos ou tendões, das articulações, ligamentos e ossos, que não seja provocado por lesões ou infecções, pode ser denominado processo reumático. Esse é um termo impreciso atribuído a um grande número de doenças.

No âmbito da metafísica da saúde, o reumatismo refere-se à difícil expressão dos seus talentos, agravado pela baixa resistência para lidar com as adversidades. Diante dos obstáculos, a pessoa não consegue manter a sua persistência, faltam determinação e disposição para executar as suas tarefas. Sente-se fragilizada em meio às turbulências do meio. Em vez de mobilizar as suas forças, enfraquece-as, sentindo-se vítima das situações.

Permanecer na condição de vítima representa ficar no extremo oposto das potencialidades, transferir a força e grandeza para a situação que nos aflige, enfraquecendo a capacidade de reagir às adversidades.

Ao assumirmos a condição de vítimas, mergulhamos numa esfera de fraquezas e dependências, esperando que as soluções venham de fora ou dos outros, em vez de recorrermos a nós mesmos. Isso porque nos abandonamos e nos colocamos em último plano, na escala das soluções. Essa condição é cômoda, haja vista a não exigência de que nos superemos e aprimoremos as nossas fragilidades, colocando-nos diante dos desafios. É mais fácil pedir ajuda do que aprender a realizar determinada atividade. No entanto, ao depender dos outros, reforçamos as nossas fraquezas; ao aprender a fazer as coisas por nós mesmos, tornamo-nos independentes e fortalecidos interiormente.

A dependência provoca uma espécie de "esvaziamento" emocional. Esse estado distancia-nos dos outros, consequentemente, os afastamos. Existe um contrassenso nisso: fazemos de tudo para ter os outros por perto. Com esse gesto, criamos uma distância maior, é como se os empurrássemos para longe de nós. Pode-se dizer que quanto mais dependentes, mais solitários nos tornamos.

Além de buscarmos soluções nos outros, atribuímos a eles a causa dos nossos infortúnios, gerando o sentimento de vitimação. Quando os outros não sanam as nossas necessidades e nos fazemos de vítima, passamos a ter mágoas, desejo de vingança e outros. Vale lembrar que não somos sofredores, mas, sim, negligentes às forças interiores, portanto, vítimas de nós mesmos.

A natureza solicita de quem tem para dar; jamais será exigido de quem é desprovido de recursos internos para corresponder às demandas existenciais. Assim, quem vive diante dos grandes desafios é que possui componentes internos à altura das demandas que surgem ao redor.

O reumatismo refere-se também a essa negação dos talentos e derrotismo. Em vez de fazer prevalecer as suas forças e aumentar o seu empenho, a pessoa fica impressionada com os tropeços e assume os fracassos. Com isso, retrai-se, permanecendo numa zona de conforto, onde somente os fracos preferem ficar.

A pessoa que sofre dessa doença tem consciência dos seus talentos. No fundo, ela sabe do que é capaz e que pode vencer as adversidades. Por outro lado, não acredita em si mesma, sentindo-se fragilizada diante dos obstáculos. Esse descompasso entre conhecer suas aptidões e não acreditar que é capaz de vencer os desafios gera sentimento que alterna entre frustração e raiva.

Por trás dos seus lamentos de insucessos e dos problemas que cercam a sua vida existe certa revolta, principalmente consigo mesma, por não ter conseguido viabilizar os seus talentos de maneira objetiva. Caso o fizesse, poria fim aos absurdos que gravitam em torno de si.

Dentre os principais talentos negados no reumatismo, pois se trata de uma doença que pode estar relacionada com a circulação sanguínea e os sistemas muscular, articular e esquelético, destacam-se, segundo a metafísica da saúde, os seguintes aspectos:

Muscular – o potencial realizador e a habilidade de executar o que sabe, sem se preocupar com as opiniões alheias. Fazer aquilo de que gosta ou tornar agradável qualquer atividade a ser desempenhada.

Articular – a flexibilidade para ajustar as circunstâncias do meio sem reprimir as suas vontades, tampouco negligenciar os seus objetivos. Vencer os obstáculos sem fugir dos desafios, não responsabilizar os outros nem agredir a alguém.

Ósseo – a qualidade de estabelecer a referência em si mesmo e, não, nos resultados obtidos ou em alguém do seu convívio. Acreditar nos seus talentos, independentemente das condições apresentadas a sua volta. Ter certeza de que o universo conspira a seu favor, que a natureza é aliada e, não, adversária.

Sanguíneo – a capacidade de ser intenso e de fluir de acordo com os seus critérios, sem depender das condições favoráveis do meio, tampouco da colaboração dos outros. Fisicamente esse quadro é conhecido como reumatismo no sangue. Segundo a Sociedade Brasileira de Reumatologia, o termo reumatismo no sangue foi criado pelos próprios médicos para definir as queixas de frequentes dores, sem causas específicas, em que os exames de sangue apresentam algumas alterações, mas nada que caracterize uma determinada doença.

No âmbito da metafísica da saúde, expressa o quanto a pessoa se sente presa e impossibilitada de manifestar suas vontades. Tudo parece se tornar um grande peso, cercado de empecilhos que a distanciam da sua felicidade. Nada se mostra favorável aos seus anseios; em volta, parece que tudo conspira contra si, gerando revolta e indignação.

Para amenizar os processos reumáticos, de modo geral, faz-se necessário: trabalhar as suas revoltas e aprimorar a ótica dos eventos exteriores; banir a impressão de fraqueza que habita o seu "coração" e assumir a firmeza interior, encorajando-se para lidar com as adversidades; acessar as próprias forças e não depender da ajuda dos outros.

Dores reumáticas, segundo a metafísica da saúde, ocorrem em virtude da indignação, ao não conseguir dar o seu melhor e vencer os obstáculos usando seus recursos. Trata-se de uma maneira de se agredir por não dar conta da demanda. A pessoa sabe que pode fazer mais e melhor, no entanto, sente que as suas forças estão esgotadas por um cansaço acumulado, por causa do somatório de eventos que não deram trégua.

Trata-se de uma fragilidade momentânea e um pedido implícito de socorro ou de descanso. O corpo manifesta o que os sentimentos não conseguem transmitir: o desejo de paz sem a necessidade de tanto empenho; que tudo transcorra de maneira simples e se torne facilmente administrável.

Existe um lamento comum no discurso das pessoas que sofrem desse sintoma: "por que tudo tem que ser tão difícil para mim e exige muita luta?" Esse discurso demonstra o profundo esgotamento.

Paralelamente aos grandes desafios, existem situações amenas e até agradáveis. Elas podem ser consideradas espécies de "dividendos existenciais" e devem ser usufruídas ao máximo. São formas de a pessoa se sentir numa situação de trégua dos acontecimentos desgastantes. Usufruir dessas ocasiões proporciona bem-estar, como se trouxesse um bálsamo para continuar enfrentando os desafios.

Aproveite os instantes de repouso, usufrua ao máximo os instantes agradáveis que a vida oferece. Por certo que eles não minimizam os esforços necessários no cotidiano, mas fortalecem emocionalmente, tornando-se espécie de combustível para enfrentar os problemas. Pode-se dizer que o usufruto de alguns privilégios na vida é necessário para equilibrar as tormentas em algum setor do desenvolvimento.

GOTA

Apego aos sofrimentos.

É também chamada de artrite gotosa. Trata-se do depósito de ácido úrico nas cartilagens articulares, provocando dor e inchaço. O ácido úrico é uma substância produzida pelo corpo e serve como fonte de energia. A pessoa que sofre de gota produz quantidade excessiva desse ácido ou não consegue eliminar a porção normal, por meio dos rins, ocasionando o aumento da concentração no sangue. Afeta, em geral, uma articulação por vez; com frequência, a articulação do primeiro dedo do pé, o dedão (*hallux*). Pode atingir também as articulações do tornozelo, joelho, punho, mão e cotovelo.

No âmbito da metafísica da saúde, os níveis elevados de ácido úrico no sangue referem-se ao mau proveito das experiências vivenciadas ao longo da vida. Principalmente ao fato de a pessoa não se ter despojado dos tropeços existenciais e ainda guardar viva a lembrança de tudo o que sofreu no passado.

As decepções, os infortúnios, as dificuldades materiais e econômicas são componentes emocionais nocivos, que ainda perduram interiormente e comprometem a interação com a realidade atual. Quando a pessoa se encontra diante de fatos que, de alguma forma, remetem ao vivido anteriormente, ela se põe alerta e temerosa em relação aos sofrimentos de outrora, dificultando a interação e o melhor proveito das situações presentes.

O mesmo ocorre no tocante às relações amorosas. Ainda são vivas as marcas dos relacionamentos afetivos; o quanto a pessoa se machucou, o abandono, as tristezas e as angústias dos desfechos traumáticos.

Tomando por base os componentes ruins guardados, a impressão é que a pessoa não teve nada de agradável nas suas antigas relações, quando, na verdade, ela amou, se dedicou, curtiu os momentos agradáveis e felizes. No entanto, traz consigo as piores lembranças, contagiando seus atuais relacionamentos.

Os conteúdos negativos arraigados representam não apenas elementos nocivos da sua trajetória afetiva, mas também obstáculos para os seus envolvimentos atuais. Permanece a sensação de que ainda pode sofrer tudo novamente. Com isso, não usufrui os eventos agradáveis do presente. A atmosfera agradável, onde tudo transcorre a contento, é perturbada pelo medo de sofrer novamente.

Esses fantasmas internos comprometem a felicidade. São espécies de "feridas afetivas" abertas, que não "cicatrizaram". A cicatrização dessas emoções equivale à sua elaboração, que se dá por meio da consciência e, não, da negação.

Geralmente após alguma situação traumática, a pessoa se lança compulsivamente para outras atividades, como mecanismo de fuga ou de negação dos seus sofrimentos. Dessa forma, ela não resolve esses conteúdos, mantendo lacunas emocionais que podem disparar os gatilhos somáticos e aparecer no corpo em forma de doença.

Esse é o principal foco deste estudo da metafísica da saúde: identificar na imensidão do Ser as áreas de conflitos. No caso do tema em questão, a gota, a pessoa não enfrentou as suas dores, ela negou as decepções, procurando se poupar do sofrimento. Com isso, se machuca ainda mais, pois arrasta consigo os infortúnios relacionais, reproduzindo-os nas futuras relações.

Existe um ciclo afetivo em aberto. Para fechá-lo, procure aceitar o seu caminho de aprendizado, que foi pavimentado com as próprias escolhas. Pois, assim como o ácido úrico não foi colocado no seu organismo por meio da alimentação, por exemplo, mas, sim, produzido por ele mesmo, analogamente, os outros não foram os únicos responsáveis pelos seus infortúnios, mas, sim, o que você fez com o que lhe fora feito. A eliminação desse ácido, que era para ser fonte de energia e se tornou nocivo para as articulações, é necessária para preservar a saúde. Emocionalmente, cabe a você despojar-se dos insucessos de outrora e se perdoar pelas péssimas escolhas.

Estamos num caminho de descoberta, em que usamos o nosso senso para nortear o aprendizado. Entre acertos e erros vamos transitando pela vida.

Ao passarmos por uma fase ruim, levamos dela apenas a sinalização de que essa não é a direção rumo à felicidade. Esse componente extraído da vivência permanece internalizado e se manifesta diante dos novos caminhos relacionais. E, não, a marca de uma espécie de buraco fundo, em que caímos e passamos a tropeçar nele todas as vezes que algo semelhante acontece, consumindo o potencial afetivo.

À medida que somos felizes de uma determinada forma, colhemos os bons frutos daquela experiência, que se transforma em bagagens positivas, contribuindo favoravelmente às futuras relações.

A somatização da gota exige uma reflexão acerca da intensidade da entrega e à fluidez nas relações interpessoais. Essa doença mostra que a pessoa está se contendo e reprimindo o potencial afetivo, para não fazer novas apostas e correr o risco de se ferir novamente. Essa é a sua realidade emocional e somática, que transformou afetividade em ferimento e possibilidades em tropeços.

É preciso quebrar esse círculo vicioso do relacionamento e sentir-se com mais chance de ser feliz e realizado. Afinal, conhecemos muitos caminhos que não levam ao sucesso, obviamente não vamos trilhar por eles, mas, sim, explorar novos rumos nas relações amorosas.

Para trilhar novos caminhos rumo à felicidade amorosa, devemos investir mais em nós mesmos, em vez de esperar dos outros; precisamos parar de nos machucar com as lembranças ruins do passado e nos tratar de maneira carinhosa. Assumir que, com toda bagagem extraída das vivências, estamos prontos para sermos felizes no amor.

ARTRITE

Irritação com as adversidades.

Artrite é um termo genérico que se refere a um grande número de processos inflamatórios das articulações. É uma forma de reumatismo e raramente tem as causas conhecidas. As articulações ficam inchadas, rígidas e dolorosas.

A falta de mobilidade articular provocada pelas artrites condiz metafisicamente com as restrições que a pessoa identifica nas situações ao redor. Ela vê impedimento em tudo o que se passa. As adversidades do cotidiano provocam constantes irritações. Não sabem flexibilizar os contratempos.

Quando não tem com quem dividir as lamúrias, fica remoendo-as sozinha. Em nenhum momento se dispõe a contemporizar o ocorrido e ser flexível. É resistente à adaptação ao novo, prefere discutir a acatar os feitos inusitados.

De modo geral, as pessoas que sofrem de problemas articulares são difíceis de conviverem. As constantes queixas esgotam quem estiver do lado. Vivem reclamando daquilo que está fora do esperado. Não sabem lidar com imprevistos, se perdem e não conseguem se recompor. Em vez de admitir as suas limitações e falta de habilidade para lidar com o novo, entram na arrogância ou na intransigência e se põem a criticar.

Reagir veementemente aos acontecimentos dificulta a análise detalhada e nos impede de sentir o momento, provocando julgamentos precipitados e avaliações superficiais dos eventos. Para agir com justiça e assertividade, faz-se necessário maior envolvimento com os fatos, para depois se posicionar a respeito deles.

Qualquer evento inesperado é um desafio para exercer a habilidade de se inteirar e de lidar com o novo. A reação dramática atrapalha a solução e diminui o aprendizado. Quem se queixa, restringe os seus potenciais, e aquele que aceita os acontecimentos, amplia os seus horizontes de percepção e de atuação na vida.

A pronta disposição para agir e para se inteirar com o meio, sem se conter com as barreiras externas, tampouco com os seus próprios costumes e métodos, possibilita que nos reinventemos e saiamos dos comportamentos repetitivos, dando vazão às novas ideias.

A flexibilidade ativa o fluxo de energia, favorecendo a viabilização dos resultados promissores.

ARTRITE REUMATOIDE

Irreverência e intolerância.

Artrite reumatoide é um distúrbio inflamatório das articulações, que afeta principalmente as mãos. É provocada por vários fatores orgânicos. É também considerada uma doença autoimune, na qual o sistema imunológico ataca os revestimentos das articulações, destruindo as cartilagens. O tecido fibroso ossifica, provocando a imobilidade e as distorções dos dedos, que caracteriza o formato das mãos da pessoa que sofre de artrite reumatoide.

Os sintomas pioram pela manhã e inclui dor, inchaço, espessamento, rigidez, redução de movimentos, formação de nódulos e deformidade nas articulações.

No âmbito da metafísica da saúde, ocorre nas pessoas excessivamente intransigentes, que se aborrecem com facilidade. São difíceis de lidar ou de conviver, pois qualquer alteração na programação ou nas condições do ambiente é motivo para se aborrecerem.

Fazem questão de falar o que sentem a quem estiver por perto. Não medem as palavras para expor a sua indignação. Abordam incansavelmente o seu desconforto; o assunto gira em torno do ocorrido, não dão trégua, tampouco se abrem para ouvir as opiniões alheias. Nenhum ponto de vista é mais importante do que o seu. Julgam-se sempre certas e se acham cobertas de razão.

A questão não é quem está com a verdade, mas é a confusão e o embaraço gerado pelas suas críticas. Precisam aprender a serem mais condescendentes com os fatos inusitados. Aborrecer-se menos e fluir mais, interagindo com o meio, sem tanto inconformismo, tampouco irritação com os acontecimentos inesperados.

Suas frequentes indignações são geradoras das deformidades das juntas das mãos. Essa somatização demonstra o quanto a sua dificuldade de ceder ou de entrar em acordo prejudica a sua desenvoltura no ambiente e a mobilidade física dos dedos. Suas frequentes queixas são espécies de "poluentes verbais" nos diálogos, saturando quem convive consigo e distanciando os amigos.

Fazem questão de expor o que sentem. Suas críticas e julgamentos são demasiadamente severos. Ficam insistindo no mesmo assunto, não se abrem para novas possibilidades, tampouco permitem outras visões sobre o assunto.

A maneira contestadora e turbulenta de conduzir os acontecimentos transforma os seus objetivos em fardos difíceis de carregar. Ficam tão focados nas adversidades, que praticamente esquecem os seus propósitos ou se distanciam das soluções.

Vale lembrar que problemas não existem; eles são produtos da nossa mente, que transforma os desafios e obstáculos em dramas, que geram a visão problemática da situação. Os "dramalhões" não ajudam em nada, ao contrário, dificultam o alcance da solução. A energia despendida nas queixas e reclamações seria melhor aproveitada se fosse investida nas possibilidades de sanar as complicações do ambiente. A queixa não soluciona, ao contrário, nos enfraquece, enquanto enaltece as barreiras.

Em vez de queixar-se e de reclamar, procure ser mais condescendente; aprecie os acontecimentos, em vez de contestá-los prontamente. Não desperdice o seu tempo e energia com lamúrias. A procura de soluções deve ser balizada com o tipo de visão empregada aos eventos. Ver com bons olhos canaliza as forças para o sucesso.

Você não precisa ser uma referência do bom humor, simplesmente deixe de dar tanta atenção aos aspectos negativos das situações. Isso afeta ainda mais a mobilidade das mãos, consequentemente compromete o seu desempenho e inviabiliza os resultados promissores.

ARTROSE

Insegurança e mimo.

A artrose, também denominada osteoartrose e osteoartrite, é uma doença articular degenerativa, provocada por quaisquer enfermidades ou lesões, pode causar mudanças nos tecidos cartilaginosos, que estão presentes nas maiores articulações; a artrose provoca a redução do atrito entre duas superfícies ósseas durante os movimentos. Com o deteriorar dessas cartilagens e a exposição das extremidades dos ossos, formam-se pequenas saliências ou nódulos enrijecidos, que alteram o formato das juntas e interferem na mobilidade.

As causas metafísicas dessas doenças estão relacionadas aos sentimentos de frustração e de desânimo. Quando obtém um resultado diferente do previsto ou se confronta com alguma contrariedade, a pessoa perde o encanto pela situação e a vontade de interagir. Em vez de ceder e aceitar o novo, decepciona-se, a ponto de não apreciar mais nada que diz respeito aos acontecimentos presentes.

É mais fácil resistir às adversidades do que aceitá-las. A resistência reforça os velhos conceitos. Ao mantermos tudo como de costume, opondo-nos aos acontecimentos inusitados, não revemos nossas crenças, para mudar a forma de ser e de agir. Assim, nos sentimos mais seguros e apoiados no que já conhecemos e temos domínio.

Acatar o novo ou rever os princípios implicaria perder as bases emocionais e ter de lidar com as próprias fraquezas e vulnerabilidade. Por isso ficamos irredutíveis às mudanças, insistindo em que tudo transcorra conforme previsto. As contestações visam proteger a zona de conforto emocional, que se baseia na segurança em saber lidar com as situações, sobre as quais exercemos certo domínio.

Diante de circunstâncias novas e inevitáveis, que exigem ajustes na nossa maneira de ver o que se passa, levantamos as barreiras da resistência, ficamos indignados e até fazemos drama. Caso isso não seja suficiente para retornar ao que era antes, nos desencantamos e perdemos o interesse de continuar interagindo com o ambiente. Decepcionados, passamos a agir como se o evento não representasse mais nada, apenas uma ocasião como outra qualquer.

Esperar que tudo transcorra a contento pode ser considerado uma conduta "mimada". As pessoas mimadas buscam situações apropriadas a elas, até nos mínimos detalhes. Não admitem mudanças e querem que os eventos supram os seus anseios, sem maior desconforto. O mimo embute a força realizadora do indivíduo, fortalecendo os comportamentos moldados no passado que se repetem no presente, contrapondo-se à nova realidade.

Uma criança mimada, por exemplo, quando contrariada, faz birra e estampa no semblante a cara de mimo, "faz bico". O adulto, por sua vez, com algum tipo de artrose, se comporta como um contestador e somatiza saliências articulares parecidas com "bicos" nas articulações. Respeitadas as diferenças, esses têm o agravante de serem crônicos, enquanto os das crianças passam depois de algumas cenas e ela volta a sorrir.

Existe uma questão a ser trabalhada emocionalmente, que se arrastou pela juventude e perdurou interiormente até a maturidade. Pois, no passado, a pessoa precisava lidar com as contrariedades e não tinha outra opção, a não ser confrontá-las, com isso, ela escondia as suas fragilidades e agia aparentemente sem temor. Com o quadro somático da artrose, que se manifesta na atual faixa etária, vêm à tona essas fragilidades e inseguranças diante dos novos eventos.

Comparativamente, pessoas que são até piores, mais contestadoras e ranhetas, no entanto, não somatizam as doenças articulares em questão. Isso ocorre porque existem outros fatores internos que as tornam rabugentas. Diferentemente daquelas que também se comportam da mesma forma, mas não somatizam a artrose, as que somatizam essa doença se comportam de maneira contestadora para não se sentirem vulneráveis diante de algo do qual não têm domínio, ou para não promoverem alguma mudança interna. Portanto, as causas metafísicas da artrose consistem na insegurança e resistência às mudanças.

Para estabilizar ou reverter o quadro somático da artrose, metafisicamente, é preciso vencer as barreiras internas da fragilidade emocional; desprender-se das impressões ruins do passado; ser partidário das inovações e adotar novas condutas no meio; parar de fazer drama. Deve procurar se aborrecer menos com os novos acontecimentos e resgatar o espírito vitorioso diante das adversidades.

Além de esses procedimentos serem metafisicamente saudáveis para a artrose, eles vão tornar a pessoa mais agradável no convívio com os amigos e com os entes queridos.

CONSIDERAÇÕES FINAIS

O sistema articular manifesta um dos talentos mais importantes para a boa fluidez existencial. Trata-se da habilidade de interagir com as pessoas de maneira harmoniosa, considerando a opinião dos outros e preservando os próprios conteúdos internos. Uma mesma situação, em diferentes momentos, exige novas medidas; para não gerar conflitos é preciso ter flexibilidade. Esse é um dos componentes do Ser, necessário para o bom desenvolvimento da vida cotidiana.

Há momentos em que precisamos intervir para modificar algumas estruturas exteriores ou das pessoas envolvidas. Para atender a essa demanda precisamos ser seguros e agir com convicção; somente assim nos tornamos formadores de opiniões.

Existem outras circunstâncias em que não podemos alterar nada em torno, apenas não sermos contagiados com os episódios que se contrapõem aos nossos objetivos, estimulando o autoapoio e a confiança nas próprias escolhas, para que possamos seguir a nossa trajetória, seguros de que estamos no melhor caminho e principalmente do nosso lado.

Também existem ocasiões que visam redirecionar o andamento das nossas atividades, visto que precisam ser feitos alguns ajustes na nossa maneira de agir ou no caminho a seguir. Essa é a mais comum necessidade, quando nos deparamos com as adversidades. É a que exige mais flexibilidade, afinal, atuarmos dentro de nós para fazer mudanças é complicado, pois construímos internamente um raciocínio encadeado com predileções que atendam nossas vontades. Desconstruir tudo e não ficar com nada no lugar causa-nos uma sensação de vazio e de desorientação.

É como se estivéssemos perdidos, pois não acatamos imediatamente as opiniões dos outros, assim como novos rumos ou outras maneiras de alcançar os objetivos. Primeiro, essas colocações precisam quebrar a cristalização mental formada na direção escolhida anteriormente. Isso leva certo tempo para abandonarmos tudo o que imaginamos até o momento. Nesse ínterim, quem é muito mental reage ao desconforto dessa quebra, sendo intransigente, discutindo e até atacando quem sinaliza os impedimentos.

No entanto, se formos mais centrados e flexíveis, vamos atentar logo às dicas e tendências apresentadas naquele momento e optar inteligentemente pelos novos métodos ou rever as nossas diretrizes sem conflitos internos nem revides truculentos com quem está tentando nos ajudar.

Existem sempre novas possibilidades e, com certeza, maneiras mais práticas para alcançarmos as nossas metas. Com perspicácia para identificar novos métodos, e receptividade para ouvir as dicas, mas principalmente se formos flexíveis para adotar um jeito melhor de agir, vamos atingir os objetivos mais brevemente e sem tanto desgaste.

A assertividade nas nossas ações depende desses três eixos internos: devemos ser perspicazes, receptivos e flexíveis. A junção desses talentos promove o sucesso e a realização pessoal na vida. Uma pessoa malsucedida esbarra numa dessas dificuldades. Ou ela não percebe o que vai dar errado, ou não se abre para aprender novos rumos. Pior ainda, não tendo a flexibilidade para redirecionar os seus caminhos, insiste no erro.

O emprego dos talentos articulares poupa desconforto e promove bons resultados, sem ferimentos internos e externos. O corpo fica saudável, nossas energias são preservadas e os resultados materiais promissores desfilam a nossa frente.

REFERÊNCIAS BIBLIOGRÁFICAS

GOLEMAN, Daniel, *Inteligência Emocional: a teoria revolucionária que redefine o que é ser inteligente*. Rio de Janeiro: Objetiva, 2012.

HEBERT, Sizínio; FILHO, Tarcísio E. P. de Barros; XAVIER, Renato; JUNIOR, Arlindo G. Pardini e colaboradores, *Ortopedia e Traumatologia*. São Paulo: Artmed, 2009.

RUNGE, Marschall S.; GREGANTI,M. Andrew, *Medicina interna de Netter*. São Paulo: Artmed, 2005.

TORTORA, Gerard J.; DERRICKSON, Bryan, *Princípios de anatomia e fisiologia*. Rio de Janeiro: Guanabara, 2010.

TORTORA, Gerard J, *Corpo humano: fundamentos de anatomia e fisiologia*. São Paulo: Artmed, 2000.

PARKER, Steve, *O livro do corpo humano*. Barueri: Ciranda Cultural, 2012.

GLAS, Norbert, *As mãos revelam o homem*. 3 ed. São Paulo: Antroposófica, 2002

SEO, Prof. Won Gab, *Quiroacupuntura guia prático de terapia preventiva*. São Paulo: Ícone, 2000.

ÍNDICE REMISSIVO

[Volumes 1 ao 5]

Acetilcolina – Vol. 4. p. 52
Adrenalina e noradrenalina – Vol. 4. p. 63
Afta – Vol. 1. p. 113
Alzheimer e/ou demência – Vol. 4. p. 100
Amamentação – Vol. 2. p. 152
Amenorreia – Vol. 2. p. 139
Anemia – Vol. 2. p. 64
Aneurisma – Vol. 2. p. 27
Angina – Vol. 2. p. 45
Antebraço (ossos: rádio e ulna) – fratura – Vol. 5. p. 50
Apêndice – Vol. 1. p. 164
Apendicite – Vol. 1. p. 165
Arteriosclerose – Vol. 2. p. 29
Articulação do cotovelo – Vol. 5. p. 135
Articulações do quadril – Vol. 5. p. 149
Articulações do Ombro – Vol. 5. p. 127
Articulações: móveis e imóveis – Vol. 5. p. 118
Articular, sistema – Vol. 5. p. 118
Artrite – Vol. 5. p. 172
Artrite degenerativa (artrose e osteoartrose) – Vol. 5. p. 176
Artrite reumatoide – Vol. 5. p. 174
Artrose (osteoartrose ou artrite degenerativa) – Vol. 5. p. 176
Asma brônquica – Vol. 1. p. 76
ATM (Articulação Temporomandibular) – Vol. 5. p. 30
AVC (Acidente vascular cerebral) – Vol. 4. p. 116
Bacia, fraturas – Vol. 5. p. 110
Bexiga – Vol. 2. p. 94
Bexiga, problemas – Vol. 2. p. 99
Bico de papagaio ou hérnia de disco – Vol. 4. p. 231
Bipolar, transtorno do humor – Vol. 4. p. 181
Bocejo – Vol. 1. p. 93

Bócio – Vol. 3. p. 71
Brônquios – Vol. 1. p. 72
Bronquite – Vol. 1. p. 73
Bruxismo – (bruxismo diurno) – Vol. 5. p. 33
Bulbo – Vol. 4. p. 164
Burnout – Vol. 4. p. 155
Bursite – Vol. 5. p. 129
Cacoetes ou tiques – Vol. 4. p. 133
Cãibra – Vol. 3. p. 129
Calcanhar – Vol. 5. p. 86
Cálculos renais – Vol. 2. p. 88
Calos nas cordas vocais – Vol. 1. p. 68
Cardíacos, problemas – Vol. 2. p. 42
Cárie dentária – Vol. 1. p. 107
Causa de tudo, você é. – Vol. 1. p. 13
Caxumba ou parotidite – Vol. 1. p. 116
Cerebelo – Vol. 4. p. 176
Cérebro – Vol. 4. p. 81
Cervicalgia – Vol. 4. p. 210
Ciático nervo – Vol. 4. p. 262
Cifose – Vol. 4. p.217
Circulatório, sistema – Vol. 2. p. 21
Cirrose – Vol. 1. p. 137
Cistite – Vol. 2. p. 100
Cistos de ovário – Vol. 2. p. 122
Clavícula – (fraturas dor e tensão) – Vol. 5. p. 41
Coagulação sanguínea – Vol. 2. p. 66
Cóccix – Vol. 4. p. 239
Coceira nas mamas – Vol. 2. p. 151
Cólica renal – Vol. 2. p. 92
Colite – Vol. 1. p. 169
Coluna vertebral – Vol. 4. p. 202
Começo nem fim, você não tem. – Vol. 1. p. 20
Consciência e responsabilidade. – Vol. 1. p. 40
Coração – Vol. 2. p. 40
Cordas vocais, calos – Vol. 1. p. 68
Costelas – (fratura e luxações) – Vol. 5. p. 45

Costelas, fraturas – Vol. 5. p. 109
Cotovelo, bater – Vol. 5. p. 138
Cotovelo, fratura – Vol. 5. p. 109
Crânio – Vol. 5. p. 24
Crânio e fratura craniana – Vol. 5. p. 26
Dedos – Vol. 5. p. 59
Dedos Anular – Vol. 5. p.70
Dedos do pé – Vol. 5. p. 101
Dedos Indicador – Vol. 5. p. 65
Dedos Médio – Vol. 5. p. 67
Dedos Mínimo – Vol. 5. p. 73
Dedos Polegar – Vol. 5. p. 62
Dentes – Vol. 1. p. 106
Dentes, canal – Vol. 1. p. 108
Dentes, cárie – Vol. 1. p. 107
Depressão no pâncreas – Vol. 1. p. 145
Diabetes – Vol. 1. p. 148
Diarreia – Vol. 1. p. 159
Digestão – Vol. 1. p. 125
Digestivo, sistema – Vol. 1. p. 101
Disfunção erétil – Vol. 2. p. 172
Disfunções da fala – Vol. 1. p. 65
Disidrose (ver problemas nos dedos) – Vol. 5. p. 60
Diverticulite – Vol. 1. p. 167
Doença – Vol. 1. p. 42
Doentes, porque ficamos. – Vol. 1. p. 11
Dopamina – Vol. 4. p. 59
Dor ciática – Vol. 4. p. 264
Dor de cabeça ou enxaqueca – Vol. 4. p. 107
Dor no cotovelo – Vol. 5. p. 139
Dor no pescoço – Vol. 4. p. 212
Dor no punho – Vol. 5. p. 143
Dor ou problemas no quadril – Vol. 5. p. 77
Dores musculares – Vol. 3. p. 124
Dores no ombro – Vol. 5. p. 127
Dores reumáticas – Vol. 5. p. 166
Edema pulmonar – Vol. 1. p. 87

Endócrino, sistema – Vol. 3. p. 21
Enfisema pulmonar – Vol. 1. p. 84
Engasgo – Vol. 1. p. 61
Enurese noturna – Vol. 2. p. 96
Epilepsia ou convulsão – Vol. 4. p. 126
Escápula – Vol. 5. p. 43
Escoliose – Vol. 4. p. 219
Esofagite – Vol. 1. p. 122
Esôfago – Vol. 1. p. 121
Espirro – Vol. 1. p. 91
Esporão de calcâneo – Vol. 5. p. 89
Esterilidade ou infertilidade – Vol. 2. p. 127
Estômago – Vol. 1. p. 127
Estomatite – Vol. 1. p. 114
Estresse – Vol. 4. p. 143
Face, músculos da – Vol. 3. p. 135
Facite plantar – Vol. 5. p. 96
Fala, disfunção – Vol. 1. p.65
Faringe – Vol. 1. p. 119
Faringite – Vol. 1. p. 120
Fêmur – Vol. 5. p. 79
Fibromas e miomas (poblemas último,) – Vol. 2. p.133
Fibromialgia – Vol. 3. p. 126
Fíbula e tíbia – Vol. 5. p. 82
Fígado – Vol. 1. p. 132
Flacidez nas mamas – Vol. 2. p. 149
Flebite – Vol. 2. p. 39
Fossas nasais – Vol.1. p. 50
Fratura de crânio – Vol. 5. p. 26
Fratura óssea – Vol. 5. p. 107
Fraturas dos ossos metatarsais – Vol. 5. p. 99
Fraturas: cotovelo; punho, ombro; costela; bacia; joelho;
perna – Vol. 5. p. 107-110
Frieira, pé de atleta ou micoses – Vol. 5. p. 103
Frigidez sexual – Vol. 2. p. 115
Gagueira – Vol. 1. p. 66
Gânglios – Vol. 4. p. 246

Gastrite – Vol. 1. p. 130
Gengiva – Vol. 1. p. 109
Glândulas salivares – Vol. 1. p. 115
Gordura localizada – Vol. 3. p. 83
Gota (ou artrite gotosa) – Vol. 5. p. 168
Gripe ou resfriado – Vol. 1. p. 52
Hálito – Vol. 1. p. 113
Hemorragia – Vol. 2. p. 68
Hemorroida – Vol. 1. p. 173
Hepatite – Vol. 1. p. 136
Hérnia de disco ou bico de papagaio – Vol. 4. p. 231
Hérnia de hiato – Vol. 1. p. 123
Hipertireoidismo – Vol. 3. p. 91
Hipófise – Vol. 3. p. 43
Hipoglicemia – Vol. 1. p. 155
Hipotireoidismo – Vol. 3. p. 74
Histamina – Vol. 4. p. 66
Hormônios da hipófise – Vol. 3. p. 52
Hormônios – Vol. 3. p. 31
Incontinência urinária – Vol. 2. p. 98
Infarto – Vol. 2. p. 47
Infertilidade ou esterilidade – Vol. 2. p. 128
Insônia – Vol. 4. p. 170
Integridade do ser – Vol. 1. p. 34
Intestino delgado – Vol. 1. p. 156
Intestino grosso – Vol. 1. p. 160
Intestino preso – Vol. 1. p. 161
Joanete – Vol. 5. p. 106
Joelhos – Vol. 5. p. 153
Joelhos, problemas – Vol. 5. p. 155
Joelhos, fraturas – Vol. 5. p. 112
Laqueadura – Vol. 2. p. 126
Laringe – Vol. 1. p. 60
Laringite – Vol. 1. p. 69
Leucemia – Vol. 2. p. 71
Língua – Vol. 1. p. 110
Lombar – Vol. 4. p. 224

Lordose - Vol. 4. p. 227
Magreza - Vol. 3. p. 93
Mamários, nódulos - Vol. 2. p. 156
Mamas - Vol. 2. p. 148
Mamas, coceira - Vol. 2. p. 151
Mamas, flacidez - Vol. 2. p. 149
Mandíbula - Vol. 5. p. 28
Mandíbula para dentro e projetada para frente - Vol. 5. p. 28-29
Manguito rotator, tendinite ou lesão - Vol. 5. p. 132
Mãos, características e problemas - Vol. 5. p. 54-58
Mãos ossudas e carnudas - Vol. 5. p. 57
Mãos, suor excessivo - Vol. 5. p. 56
Mãos quentes e frias - Vol. 5. p. 56
Mastite - Vol. 2. p. 154
Mau Hálito - Vol. 1. p. 113
Maxilar - Vol. 1 p. 109
Meninges - Vol. 4. p. 71
Meningite - Vol. 4. p. 75
Menisco, problemas - Vol. 5. p. 155
Menopausa - Vol. 2. p. 140
Menstruação - Vol. 2. p. 135
Menstruais, problemas - Vol. 2. p. 137
Mente sem limite. - Vol. 1. p. 17
Mente, aparelho realizador. - Vol. 1. p. 23
Mente, conteúdos da. - Vol. 1. p. 24
Metafísica da Saúde, os caminhos da - Vol. 4. p. 14
Metafísica e hereditariedade. - Vol. 1. p. 38
Metafísica, os princípios da - Vol. 4. p. 11
Metafisicamente Saudável - Vol. 3. p. 11
Metatarsos, peito do pé - Vol. 5. p. 99
Miastenia -Vol. 4. p. 58
Micoses no pé - Vol. 5. p. 103
Miomas e fibromas (problemas útero,) - Vol. 2. p. 133
Miomas e fibromas - Vol. 2. p. 133
Muscular, sistema - Vol. 3. p. 109
Músculos da face - Vol. 3. p. 135

Náusea e vômito – Vol. 1. p. 104

Nervo ciático – Vol. 4. p. 262

Nervos – Vol. 4. p. 243

Neurotransmissores – Vol. 4. p. 51

Nevralgia do trigêmeo – Vol. 4. p. 256

Nódulos ou tumores na tireoide – Vol. 3. p. 68

Noradrenalina e adrenalina – Vol. 4. p. 63

Obesidade – Vol.3. p. 76

Ombro, articulações – Vol. 5. p. 125

Ombro, fratura – Vol. 5. p. 109

Osteoartrose (artrose ou artrite degenerativa) – Vol. 5. p. 176

Ósseo, sistema – Vol. 5. p. 19

Ossos do quadril – Vol. 5. p. 76

Osteopenia – Vol. 5. p. 112

Osteoporose – Vol. 5. p. 113

Ovário policístico, síndrome de – Vol. 2. p. 120

Ovários – Vol. 2. p. 118

Pâncreas – Vol. 1. p. 142

Pancreatite – Vol. 1. p. 146

Paratireoides – Vol. 3. p. 94

Parkinson – Vol. 4. p. 92

Patela, problemas – Vol. 5. p. 158

Pé chato – Vol. 5. p. 93

Pé de atleta – Vol. 5. p. 103

Pé em garra – Vol. 5. p. 95

Peito do pé e Metatarso – Vol. 5. p. 99

Pênis – Vol. 2. p. 170

Peristaltismo – Vol. 3. p. 139

Perna, fraturas – Vol. 5. p. 110

Pé – Vol. 5. p. 84

Pé, arco do – Vol. 5. p. 94

Pineal – Vol. 3. p. 37

Planta ou sola do pé – Vol. 5. p. 91

Pneumonia – Vol. 1 p. 82

Postura corporal – Vol. 4. p. 207

Pressão alta – Vol. 2. p. 53

Pressão arterial – Vol. 2. p. 50

Pressão baixa – Vol. 2. p. 56
Prisão de ventre – Vol. 1 p. 162
Problemas na próstata – Vol. 2. p. 167
Problemas no tornozelo – Vol. 5. p. 161
Próstata – Vol. 2. p. 166
Próstata, problemas – Vol. 2. p. 167
Pulmões – Vol. 1. p. 80
Pulso, ver punho – Vol. 5. p. 141
Punho – Vol. 5. p. 141
Quadril, articulações – Vol. 5. p. 147
Quadril, ossos do – Vol. 5. p. 76
Renais, cálculos – Vol. 2. p. 88
Renais, problemas – Vol. 2. p. 84
Renal – cólica – Vol. 2. p. 92
Reprodutor feminino, sistema – Vol. 2. p. 113
Reprodutor masculino, sistema – Vol. 2. p. 161
Reprodutor, sistema – Vol. 2. p. 107
Resfriado ou gripe – Vol. 1. p. 52
Respiratório, sistema – Vol. 1. p. 47
Ressecamento vaginal – Vol. 2. p. 145
Reumatismo e dores reumáticas – Vol. 5. p. 165
Rinite – Vol. 1. p. 54
Rins – Vol. 2. p. 80
Sacro – Vol. 4. p. 235
Sangue – Vol. 2. p. 57
Sangue, tipo A – Vol. 2. p. 60
Sangue, tipo AB – Vol. 2. p. 63
Sangue, tipo B – Vol. 2. p. 62
Sangue, tipo O – Vol. 2. p. 62
Sangue, tipos sanguíneos – Vol. 2. p. 59
Sanguínea, coagulação – Vol. 2. p. 66
Septo nasal – Vol. 5. p. 37
Septo nasal, desvio do – (para a esquerda e direita) –
Vol. 5. p. 38
Serotonina – Vol. 4. p. 64
Sinapse – Vol. 4. p. 47
Síndrome de Sjögren (SS) – Vol. 1 p. 117

Síndrome do ovário policístico – Vol. 2. p. 120

Síndrome do túnel do carpo – Vol. 5. p. 144

Sinusite – Vol. 1. p. 58

Sistema articular – Vol. 5. p. 117

Sistema circulatório – Vol. 2. p. 21

Sistema digestório – Vol. 1. p. 101

Sistema endócrino – Vol. 3. p. 21

Sistema muscular – Vol. 3. p. 109

Sistema Nervoso – Vol. 4. p. 25

Sistema Nervoso Central – Vol. 4. p. 36

Sistema nervoso periférico – Vol. 4. p. 242

Sistema ósseo – Vol. 5. p. 19

Sistema reprodutor – Vol. 2. p. 107

Sistema reprodutor feminino – Vol. 2. p. 113

Sistema reprodutor masculino – Vol. 2. p. 161

Sistema Respiratório – Vol. 1. p. 47

Sistema urinário – Vol. 2. p. 77

Soluço – Vol. 1. p. 96

Sono – Vol. 4. p. 168

Subconsciente, registro – Vol. 1. p. 27

Suco gástrico – Vol. 1. p. 129

Suor nas mãos – Vol. 5. p. 56

Suprarrenais – Vol. 3. p. 97

Taquicardia – Vol. 2. p. 44

Tendinite ou lesão do manguito rotator – Vol. 5. p. 132

Tendinite – Vol. 3. p. 132

Terminações nervosas – Vol. 4. p. 249

Testículos – Vol. 2. p. 164

Tíbia e fíbula – Vol. 5. p. 82

Tiques ou cacoetes – Vol. 4. p. 133

Tireoide – Vol. 3. p. 59

Tônus muscular – Vol. 3. p. 123

Torácica – Vol. 4. p. 215

Torcicolo – Vol. 3 p. 131

Tornozelo – Vol. 5. p. 159

Tosse – Vol. 1. p. 90

Transtorno bipolar do humor – Vol. 4. p. 181

Transtorno Obsessivo Compulsivo (TOC) – Vol. 4. p. 190

Trigêmeo – Vol. 4. p. 253

Trigêmeo, nevralgia do – Vol. 4. p. 256

Trombose – Vol. 2. p. 37

Tubas uterinas – Vol. 2. p. 124

Tuberculose – Vol. 1. p. 88

Tumores na tireoide ou nódulos – Vol. 3. p. 68

Túnel do carpo, síndrome do – Vol. 5. p. 144

Úlcera – Vol. 1. p. 131

Útero –Vol. 2. p. 130

Úmero (ou osso do braço) – Vol. 5. p. 48

Uretrite – Vol. 2. p. 103

Urinário, sistema – Vol. 2. p. 77

Útero, problemas (miomas e fibromas) – Vol. 2. p. 133

Vagina – Vol. 2. p. 142

Vagina, corrimento – Vol. 2. p. 146

Vagina, ressecamento – Vol. 2. p. 145

Vaginais, coceira nos lábios – Vol. 2. p. 146

Vaginismo – Vol. 2. p. 144

Varizes – Vol. 2. p. 32

Vasos sanguíneos – Vol. 2. p. 22

Vermes – Vol. 1. p. 171

Vesícula biliar – Vol. 1. p. 140

Laringe – Vol. 1. p. 60

Vômito e náusea – Vol. 1. p. 104

Voz – Vol. 1. p. 62

Voz, Disfunções da fala – Vol. 1. p.65

Rua das Oiticicas, 75 – SP
55 11 2613-4777

contato@vidaeconsciencia.com.br
www.vidaeconsciencia.com.br

APONTE A CÂMERA DO
SEU CELULAR PARA LER
O QR CODE **E VISITE
NOSSA LOJA VIRTUAL.**